**TEQUILA**

# TEQUILA

**PAR LAURENCE KRETCHMER**

**PHOTOGRAPHIES DE**
**LAURENCE KRETCHMER ET**
**ZEVA OELBAUM**

**REMERCIEMENTS**

KÖNEMANN

Traduction : Xavier Chevrin pour Studio Pastre
Réalisation : Studio Pastre, Toulouse
Lecture : Pierre Chavot
Chef de fabrication : Detlev Schaper
Impression et reliure : Dürer Nyomda
Imprimé en Hongrie

ISBN : 3-8290-1905-X
10 9 8 7 6 5 4 3 2 1

# REMERCIEMENTS

De nombreuses personnes devraient être remerciées
pour leur participation directe ou indirecte à ce livre.
Pamela, pour tout, y compris pour avoir trouvé le subtil
équilibre entre éditrice et épouse.

Mes parents, Dorothy et Jerry Kretchmer, pour m'avoir
sans cesse encouragé. Mon ami Bobby Flay, pour m'avoir
appris sans relâche à apprécier saveurs et parfums.
Mon ami Jeff Bliss, qui a stimulé mes sens critique et
d'analyse. Mes gérants à Mesa Grill : Craig Petroff,
Rick Pitcher et Fran Bernfeld. Craig m'a initié à la tequila
et il en est le plus fin dégustateur ; Rick, lui, est un bon
critique. Mes gérants à Mesa City : Peter Mendelsohn et
J.-P. François, qui vont bientôt concurrencer le Grill. Mes
gérants à Bolo : Scott Henkle et Marie Oppenheim, qui
en font un vrai bijou et me permettent d'entreprendre ce
livre. Stephanie Banyas pour son aide et ses incroyables
recettes. Billy Steel, le serveur original du Mesa Grill, qui
préparera bientôt sa millionième margarita Mesa, toujours aussi délicieuse. Wayne Brachman, pour sa longue
histoire du dessert dans le Sud-Ouest, même avec de la
tequila. Manny Gatdula, sans qui mes affaires et moi-
même seraient toujours en désordre. Tous les membres
du comité de dégustation de la tequila, Pam, Bobby,
Craig, J.P., Scott, Wayne, Billy et Steven Kault, propriétaire et chef du restaurant de Spartina ; John Gray, directeur du Grand Havana Room ; Katie Brown, de Lifetime
Television ; Rick Weisfeld, de Bronx Builders ; et Daniel
Lerner, conseiller en vins et auteur d'ouvrages sur les
whiskies pur malt.

J.P. Leventhal, pour avoir voulu éditer ce livre, et Jonette
Jakobson pour sa maquette. Tous les représentants des
compagnies de tequila au Mexique et aux États-Unis, qui
m'ont gentiment reçu ou renseigné. Merci Mitch. Merci à
Bob Denton, importateur des deux meilleures tequilas
« authentiques », El Tesoro et Chinaco – ce qu'il m'a
confié sur la tequila, personne d'autre ne me l'aurait dit.
Pamela Hunter pour les photographies d'Oaxaca.

Enfin, je dois exprimer ma gratitude toute particulière
à Antonio Ruiz Camarena, de la compagnie Tequila
Sauza, à Guadalajara. Ce livre aurait eu beaucoup moins
d'intérêt si Antonio n'avait pas été là pour me guider à
travers Jalisco et se faire l'interprète d'une langue que je
ne maîtrise pas.

# SOMMAIRE

# INTRODUCTION

La tequila, c'est une folie douce ! Non pas comme la fête d'une confrérie au moment où l'on prête allégeance, ou une plage de Floride du Sud pendant les congés de printemps. C'est une folie douce car, longtemps oubliée, elle a désormais sa place parmi les autres grands spiritueux du monde entier. À présent, les tequilas figurent dans les meubles à liqueurs des amateurs les plus fins. Elles se trouvent maintenant dans les bars des grands restaurants, où, tout comme les vins, elles s'associent à toutes sortes de plats, suivant leurs nuances et leurs caractéristiques.

Cependant, en dépit d'une meilleure presse, encore toute récente, la tequila est probablement le plus sous-estimé et le plus méconnu des spiritueux dans le monde. Les idées fausses qui entourent son histoire sont bien ancrées. Il me semble que les consommateurs n'ont même pas les notions fondamentales pour en saisir les caractéristiques propres à chaque type, les classifications, ainsi que les différents niveaux de qualités.

La tequila est de loin l'alcool le plus populaire dans nos restaurants Mesa Grill et Mesa City, à New York. Nos clients la boivent pure ou avec des glaçons, ils l'avalent cul sec, ils la sirotent et leurs margaritas sont très variées. Plus que tout, ils l'apprécient seule ou accompagnée de notre cuisine tex-mex bien particulière, aux saveurs bien marquées. Alors que la popularité croissante des cuisines tex-mex et mexicaines a favorisé la tequila – vu leur héritage commun –, c'est le vaste éventail de ses genres et qualités qui a le plus évolué.

L'image et la place de la tequila dans le monde de la restauration ont radicalement changé – les Américains à eux seuls consomment plus de cinq millions de caisses par an –, faisant d'elle l'un des alcools les plus populaires au monde. En France, on consommait relativement peu de tequila jusqu'à la sortie du film *37° 2 le matin* de Jean-Jacques Beineix qui a été si l'on peut dire le point de départ de sa réelle distribution ; par la suite, le succès des chaînes de restauration mexicaines comme Tex Mex a favorisé un engouement certain pour cet alcool devenu la boisson des lieux branchés.

Élaborée à 100 % avec de l'agave bleue, vieillie ou jeune et verte, elle voit son succès augmenter aux côtés des whiskies pur malt et des bourbons en production limitée. L'ironie de la situation, c'est que la plupart des tequilas consommées aux États-Unis ne sont pas les plus prestigieuses et les plus authentiques, mais plutôt les variétés blanches et ambrées issues de mélanges ou *mixto*. En outre, le prix de la tequila, le soin lors de sa production et la qualité du produit final correspondent rarement. La connaissance c'est le pouvoir, rappelle le dicton ; une meilleure initiation non seulement sur l'histoire de la tequila, mais encore sur sa fabrication actuelle devrait faciliter la transition du verre à liqueur bien connu au ballon auquel les grandes tequilas ont droit.

Avec ce livre, j'espère fournir les éléments de réponse aux « pourquoi », et surtout aux « comment », qui portent sur le nombre croissant des tequilas disponibles, en détaillant leur élaboration, la manière de les boire et de les apprécier. J'ai essayé de tracer un circuit qui peut être éventuellement suivi par ceux qui sont à la recherche de l'âme profonde de l'agave bleue. Ces informations permettront de distinguer une tequila qui paraît bonne d'une autre qui l'est effectivement. Si j'ai atteint mon but, j'aurai non seulement contribué à faire apprécier la tequila à plus de monde, mais j'aurai aussi aidé à aimer encore plus la tequila !

L. K.
New York City
1998

*La fresque de Gabriel Flores à la distillerie Sauza, État de Jalisco, dépeint la légende de la création de la tequila, sa fabrication traditionnelle et ses effets sur ses consommateurs.*

# QU'EST-CE QUE LA TEQUILA ?

## LA LÉGENDE DE SA CRÉATION

Selon une vieille légende, à l'époque pré-hispanique du Mexique, la tequila fut découverte quand, un jour, la foudre frappa un champ d'agaves. L'éclair atteignit l'une des plantes et la chaleur qu'il dégagea fut telle qu'il lui brûla le cœur : l'agave cuisit et fermenta naturellement. Les indigènes, stupéfaits, remarquèrent qu'une substance parfumée en suintait. Avec une certaine crainte, mais aussi avec respect, ils burent le nectar, qu'ils prirent pour un don miraculeux des dieux. C'était comme si le feu de l'éclair s'était transformé en un breuvage nouveau et mystérieux, qu'ils nommèrent *vino mezcal*, le vin de mezcal.

# QU'EST-CE QUE LA TEQUILA ?

Il y a certainement plus de légendes qui entourent l'origine et les us de la tequila que pour n'importe quelle autre boisson. Mais avant de briser le mythe du jus de cactus et du ver au fond des bouteilles, découvrons la tequila. Sur cette question, le gouvernement mexicain nous rend un fier service puisqu'il a édicté un ensemble de règles strictes auxquelles la tequila est soumise, garantissant ainsi son appellation.

La tequila est l'alcool issu de la distillation d'une seule et unique plante dont le nom scientifique est

*Il y a presque 400 espèces d'agaves classées dans la même famille — les Agavacae — dont l'agave bleue, ou agave azul, qui n'est pas un cactus.*

*Agave tequilana Weber,* variété *bleue.* Son nom commun est « l'agave bleue », et c'est ainsi que nous la nommerons dans ce livre. Alors que les botanistes ont recensé presque 400 variétés d'agaves, connues aussi au Mexique sous le nom de *maguey,* les Mexicains n'appellent « plante divine » que l'agave bleue, souvent dénommée agave azul. Beaucoup pensent qu'elle appartient à la famille des cactées. C'est faux. En fait, l'agave est un succulent et non un fruit ; classée auparavant dans la famille des muguets et aloès (c'est une cousine en quelque sorte), elle possède désormais sa propre famille : les *agavacées.* La « plante divine », ou agave bleue, est un produit économique incontournable et de grande importance. D'autres variétés et espèces d'agave servent au *pulque* et au mezcal ; des shampooings et

*Les champs d'agave bleue colorent la vallée d'Amatitán d'ombres azurées. Au ranch El Indio, de Tequila Sauza, des champs d'agave accueillent les visiteurs ; la « Tequila Mountain », menaçante, apparaît à l'arrière-plan.*

des crèmes, ainsi que d'autres produits industriels en sont composés.

Tout comme le cognac (eau-de-vie), le scotch (whisky) et le champagne (vin pétillant), la tequila, qui est un mezcal du point de vue technique, est une boisson à l'origine géographique spécifique. Elle doit être produite au Mexique, et de plus dans cinq régions uniquement : l'État de Jalisco et certains villages des États de Nayarit, Tamaulipas, Michoacán et Guanajuato. On appelle mezcals les alcools similaires à la tequila, mais n'ayant pas été produits dans ces lieux précis. Pour reprendre l'analogie avec l'eau-de-vie, le cognac en est un genre spécifique, élaboré d'une certaine manière, avec un cépage et dans une région de France bien définie. Tous les cognacs sont donc des eaux-de-vie et non l'inverse. De même, la tequila est un genre de mezcal particulier, élaboré d'une certaine manière, à partir d'une seule variété d'agave et seulement dans certaines régions. Toutes les tequilas sont génériquement des mezcals, mais tous les mezcals ne sont pas des tequilas.

En réalité, la plupart des tequilas sont produites dans l'État de Jalisco, dans une ou deux zones situées près de Guadalajara et dans l'agglomération de Tequila. Certains types et classes de tequila – de moindre qualité et fabriquées en masse – peuvent être embouteillés hors du Mexique, comme je l'expliquerai dans un autre

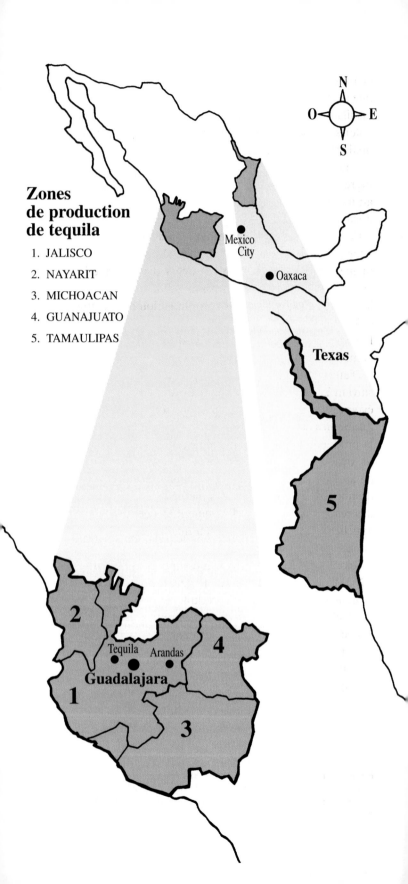

**Zones de production de tequila**

1. JALISCO
2. NAYARIT
3. MICHOACAN
4. GUANAJUATO
5. TAMAULIPAS

chapitre. Cependant, les étapes cruciales de la production que sont la culture, la récolte, la fermentation et la distillation doivent toutes se dérouler dans les régions autorisées. En outre, la mise en bouteilles de la tequila de qualité supérieure doit être faite au Mexique.

L'authenticité de la tequila est garantie enfin par ses ingrédients. Pour justifier son nom, l'alcool doit contenir au moins 51 % de jus d'agave bleue fermenté. Les 49 % restant résultent de la chaptalisation.

Contrairement aux mythes, la tequila n'est pas plus « forte » qu'un autre alcool. En réalité, elle répond aux mêmes normes de teneur ou de degré d'alcool que les autres spiritueux. Quand certains producteurs distillent leurs produits destinés à la consommation américaine à différents degrés d'alcool – et tout comme le gin, la vodka ou le rhum –, la tequila titre 40° d'alcool à l'embouteillage.

D'autres lois réglementent la production de tequila, suivant la durée de son vieillissement. Elles seront évoquées plus loin, dans le chapitre consacré à ses différentes classifications. Pour le moment, retenons que la production de tequila est régie par le gouvernement mexicain. Toutes les règles sont définies par un ensemble de lois, la *Norma Oficial*. Elles traitent des terres destinées à la production, des méthodes d'élaboration, des restrictions sur le vieillissement et sur les appellations, ainsi que des différents types et classification de tequila.

Selon la *Norma*, on octroie à chaque bouteille un « NOM », numéro décidé par le gouvernement qui indique où la tequila a été produite. Près de 50 distilleries sont aujourd'hui reconnues par le gouvernement et fabriquent légalement la tequila, chacune possédant son propre numéro. Souvent, le nom de la distillerie ou de la compagnie à laquelle elle appartient diffère de la marque de la tequila. Nous en saurons plus dans le chapitre suivant.

*Page de gauche : les parties ombrées indiquent les régions où la tequila peut être fabriquée au Mexique. Le Jalisco et le Tamaulipas sont les deux États qui la produisent actuellement.*

Chaque étiquette de tequila doit porter un « NOM », numéro identifiant clairement la distillerie qui en a produit l'alcool.

Nous avons vu les aspects scientifiques, techniques et législatifs de la production de tequila ; mais d'où vient ce mythe du jus de cactus et du ver ?

La plupart des légendes trouvent leur origine dans des histoires vécues, mais quant au jus de cactus, j'imagine simplement qu'une personne errant dans un champ d'agaves en pleine nuit, après avoir trop bu de tequila, s'est piquée à leurs feuilles acérées et les a confondues avec des cactus. Au Mexique, outre la tequila, de nombreuses boissons sont élaborées avec d'autres espèces d'agave, mais aucune avec du jus fermenté de cactus. Quant au ver, j'ai vu des centaines de tequilas différentes, mais jamais de ver dans une seule bouteille. Il n'y a pas eu et il n'y aura probablement jamais de ver dans une vraie tequila. Il y a confusion avec le mezcal, précurseur de la tequila ; cet alcool est distillé à partir d'agaves différentes des agaves bleues réservées à la seule tequila. Le mezcal se distingue par sa composition, mais aussi par son goût. Les meilleures marques actuelles n'ont pas de ver, bien que d'autres en ajoutent lors de l'embouteillage.

# L'HISTOIRE DE LA TEQUILA

## ORIGINES DE LA TEQUILA

Parlez de tequila, et les histoires affluent. Dansez sur le comptoir ou embrassez des inconnus, et quelque je-sais-tout affirmera que l'ivresse de la tequila vous rend plus fou, plus dingue et plus délirant qu'aucun autre alcool. Cela n'est qu'un aperçu des légendes sur la tequila. En fait, il n'a jamais été prouvé qu'elle avait un effet physiologique différent des autres boissons alcoolisées (ce sont le volume et la rapidité avec laquelle on boit l'alcool qui font la différence). Le mythe de la tequila trouve son origine dans sa riche histoire, qui commence avec les Aztèques, une ancienne civilisation connue pour ses mœurs belliqueuses et son goût pour les sacrifices humains (mais aussi pour ses nobles réalisations). Les Aztèques firent bon usage de cette plante qu'ils appelaient *metl*. Avec le cœur en forme d'ananas et les

épines fibreuses et acérées, ils fabriquaient du fil,
des cordes, des vêtements et des mocassins – et même du
papier et des pinceaux, puisqu'ils savaient lire et écrire.
À partir de sa sève, ils faisaient le *pulque*, jus brut
fermenté (non distillé), précurseur de la tequila,
qui est toujours consommé au Mexique, presque mille
ans après.

Le *metl* était considéré par les Aztèques comme un don
des dieux, et le *pulque* comme leur sang. Afin que les
dieux fournissent régulièrement du *pulque*, des sacrifices
humains étaient offerts lors de cérémonies morbides.
Puisque les Aztèques portaient le *pulque* en haute estime,
lui prêtaient des vertus curatives et connaissaient ses
effets hallucinogènes et relaxants, sa consommation était
réservée aux nobles, aux infirmes ou encore à l'usage
rituel des prêtres. Tout abus du *pulque* était sévèrement
sanctionné, afin d'éviter tout état d'ébriété généralisé et
en public. Cependant, pendant cinq jours entiers, les
Aztèques « ordinaires » pouvaient en boire jusqu'à plus
soif au cours des « jours des morts »,
à la fin de l'année.

Quand les Espagnols arrivèrent pour la première fois
au Mexique au début du XVIᵉ siècle, ils ne furent
nullement impressionnés par cette boisson que les
Indiens vénéraient : elle était peu alcoolisée, périssable,
de goût aigre et de consistance étrange. Le procédé de la
distillation était ignoré des indigènes, mais bien connu
des Espagnols, désormais privés de leur eau-de-vie, vin
et rhum. La nécessité étant mère de l'invention,
ils ne tardèrent pas à distiller la sève de cette plante dont
les indigènes obtenaient le *pulque*. Ils expérimentèrent
différentes variétés de ce végétal qu'ils appelaient le
*maguey* (d'après une plante similaire connue aux
Caraïbes) et diverses distillations avant d'obtenir quelque
chose qui convînt plus à leur goût.
Ils nommèrent ce nouvel alcool distillé le *vino mezcal*.

Les Espagnols du Mexique développèrent finalement le
commerce avec l'Europe et retrouvèrent leur eau-de-vie,
vin et rhum, non sans avoir oublié d'enseigner la
distillation du vin de mezcal aux Mexicains. Les
indigènes commencèrent à apprécier le mezcal et en
produisirent à partir de différentes variétés d'agave qui
poussaient dans tout le pays, y compris près d'une petite
ville agricole du Sud-Ouest, Tequila, nichée dans une

vallée dominée par un volcan de 1 000 mètres d'altitude. Beaucoup pensent que tequila vient du mot indien *tequitl*, qui signifie travail, activité, tâche, ou bien du verbe *tequi*, pour couper, travailler ou encore peiner. Il est vrai qu'ils ont travaillé dur et coupé à Tequila où, sur le riche sol volcanique, une certaine variété de *maguey* poussait comme du chiendent.

Au cours du XVIIe siècle, la production de mezcal s'effectuait encore à petite échelle. La ville de Tequila devint célèbre par son mezcal exceptionnel, et le rendement suivit l'augmentation de la demande et celle de sa population. C'est alors que le gouvernement espagnol en réglementa la fabrication et imposa des taxes. Le mezcal devint-il trop populaire au goût de la couronne d'Espagne ? Toujours est-il qu'il fut prohibé en 1785, dans l'espoir d'accroître l'importation des vins et eaux-de-vie espagnols, favorable à l'économie intérieure. Le commerce du mezcal fut donc contraint à la clandestinité, jusqu'à ce que le nouveau roi Charles IV levât l'interdiction en 1795 et accordât la toute première licence officielle autorisant la production de vin de mezcal à Don Jose Maria Guadalupe de Cuervo. Ce nom ne vous est-il pas familier ?

Au Mexique, le XIXe siècle fut marqué par la guerre : la guerre d'Indépendance contre l'Espagne, qui dura onze ans ; la guerre de Trois Ans, un conflit civil ; puis une autre invasion européenne, française cette fois. On commença alors à cultiver le *maguey* à Tequila et ses environs ; c'était devenu une culture à part entière.

*Une rue de Tequila, État de Jalisco, où sont implantés de nombreux producteurs de tequila.*

19

Enfin, une classification scientifique fut définie pour toutes les plantes de *maguey :* la variété agave.
L'*Agave tequilana Weber* ou agave Bleue était une variété de *maguey* dont on faisait le mezcal à Tequila, et la production régionale prit le nom de sa source.

La première distillerie à exporter de la tequila aux États-Unis vers 1873 appartenait à Don Cenobia Sauza, autre nom familier. Au début du XXᵉ siècle, la mécanisation et les progrès scientifiques modernisèrent la production et le transport de tequila, augmentant ainsi l'exportation. La prohibition contribua probablement à la popularité de la tequila aux États-Unis, sa contrebande étant facile à la frontière. Officiellement, cependant, les exportations se cantonnèrent au minimum, jusqu'à ce que le marché américain nouât des relations étroites avec l'alcool mexicain, avant la Seconde guerre mondiale, grâce à l'arrêt des importations de whisky européen. L'image de la tequila fut aussi exportée aux États-Unis sous une forme qui a contribué à alimenter le marché américain : les fameux films mexicains des années 1930 et 1940 ; ceux-ci attribuèrent à la tequila tous ses clichés, comme ses extravagantes associations *Ranchero* sauvage. Des quelque 22 700 litres dans les années 1940, les exportations de tequila explosèrent à 4,5 millions de litres en 1945, les États-Unis étant de loin les premiers consommateurs.

En 1948, le marché américain de la tequila s'effondra pour atteindre son plus bas niveau, avec 9 500 litres. Cependant, au Mexique, la consommation et la production croissaient toujours ; cette boisson était désormais l'objet de la fierté nationale et faisait partie de la culture et du patrimoine mexicains.

Aucun facteur n'eut plus d'impact sur l'industrie de la tequila que la popularité croissante du cocktail margarita aux États-Unis. Il fut inventé dans les années 1930 ou 1940 par un barman créatif, inspiré par une femme qui appréciait la tequila et qui s'appelait Margarita(il existe plus d'histoires qui prétendent relater l'invention de la margarita qu'il n'y en a sur le Martini). La margarita s'imposa vraiment aux États-Unis dans les années 1970 ; elle est restée depuis le cocktail le plus en vogue.

Voici une anecdote. Parce qu'ils devaient exporter davantage, les producteurs s'intéressèrent à la mécanisation et aux astuces pour maintenir l'équilibre entre l'offre et la demande. Il faut huit à douze ans pour que l'agave bleue arrive à maturité, et l'extraction des sucres pour la fermentation est complexe. Désormais, les producteurs de tequila disposaient de moyens d'élaboration et de sucre moins chers ; évidemment, ils en profitèrent.

Afin de préserver son trésor national, le gouvernement établit les *Normas* en 1978, pour gérer les standards de production, de qualité et d'appellation. En France, l'appellation d'origine contrôlée (AOC) regroupe un ensemble de normes concernant la fabrication du vin et sa qualité ; de même, ces *Normas* définissent comment et où la tequila doit être faite, afin de justifier son appellation. Conjointement, des normes strictes furent édictées pour les différentes classifications de tequila commercialisées.

# COMMENT FAIT-ON LA TEQUILA ?

Comprendre la fabrication de la tequila permettra de mieux la connaître. Depuis les champs d'agaves jusqu'à la bouteille destinée au consommateur, le producteur fait des choix à chaque étape de la conception, qui influent sur la saveur du produit. On pourrait penser que plus l'exploitation est grande, plus la fabrication est automatisée. Cependant, mes études et observations montrent que, malgré leurs dimensions, et tout en veillant sur le contrôle qualité, certains producteurs, et plus qu'on ne pourrait le croire, ont conservé les méthodes du bon vieux temps .

## CULTURE ET RÉCOLTE

Avec plus de 500 millions de kilos d'agave pour la production de tequila en une seule année et plus de 40 500 hectares d'agave bleue exploités, la culture et la récolte de la plante monopolisent la plus grande part de la main-d'œuvre qui intervient dans tout le procédé de fabrication.

Certains producteurs cultivent leur propre agave, d'autres l'achètent à des confrères, certains encore la cultivent et l'achètent à la fois, suivant leurs besoins. Très peu utilisent exclusivement leur propre agave

**Un jimador *récolte une agave.***

« cultivée à la propriété », mais ils justifient ce choix par leur capacité à mieux contrôler la récolte et la qualité du résultat. Par ailleurs, ils maintiennent qu'ils peuvent ainsi mieux déterminer quand cueillir les plantes à pleine maturité.

Ils peuvent aussi contrôler la précision avec laquelle le cœur de la plante est effeuillé, assurant ainsi un produit plus pur et meilleur. La production de la tequila commence avec la *jima*, la récolte, et le *jimador*, moissonneur de l'agave. Le procédé diffère peu d'un producteur à l'autre. Peu de choses ont changé en ce qui concerne les méthodes de travail du *jimador*, malgré les progrès en agriculture. En fait, les outils (souvent artisanaux) utilisés il y a plus de cent ans, le sont encore aujourd'hui.

La grande différence entre la production de tequila et celle des autres alcools, dont le vin, réside dans l'usage unique de la plante. Une fois l'agave récoltée ou extraite, elle ne peut resservir. Plus rien ne reste, à part le trou dans lequel la plante poussa pendant

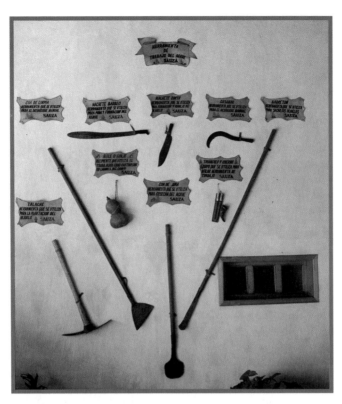

*Au rancho El Indio, de Sauza, sont exposés les différents outils du jimador, utilisés depuis plus de cent ans et encore employés de nos jours.*

huit à douze ans. Mais durant la croissance de l'agave, elle se reproduit et occasionne la pousse d'autres plantes, à nouveau pour une période de huit à douze ans. Ce cycle de vie est très différent de celui des plantes dont le grain sert à faire des alcools, ou encore des vignes dont on vendange régulièrement les grappes destinées à la production vinicole.

Quand elle atteint quatre ou cinq ans d'âge, l'agave donne des « bulbes », ou rejets, qui poussent tout près de la plante-mère. Le fermier utilise un outil appelé *barreton* pour déterrer le « bulbe », qui n'est autre qu'une pousse venant des racines-mères. Ce bulbe a alors un an ; l'opération s'effectue en mars, avril, et/ou mai, quand le sol est plus sec. La saison des pluies, de juin à octobre, n'est généralement pas la période idéale pour replanter l'agave.

Ensuite, à l'aide de la *machete carto* (petite machette), le fermier effeuille la jeune plante dont la

23

À l'aide de la **talache, le jimador** *creuse dans la terre et enter-re le cœur d'un seul geste.*

petite taille facilitera le transport. Il sectionne la base du végétal pour vérifier l'état de son cœur. Si celui-ci est tout blanc, la plante est apparemment saine et peut être remise en terre. S'il comporte des taches noires, elle est malade ; elle ne sera pas replantée, mais réutilisée sous forme d'engrais.

L'étape suivante dans la récolte des jeunes agaves est la repique des pousses ou des plants. La *talache* est l'outil utilisé pour planter le « bulbe » ; on dit « enterrer le cœur ». La terre est retournée par un tracteur et les rejets sont disposés en rangées, tous les mètres ou mètres et demi. Ces rangées sont séparées entre elles par trois mètres à trois mètres et demi, suivant la nature du sol : quand la terre est riche en minéraux, on peut rapprocher les pousses. Le fermier creuse le sol avec sa *talache* ; puis il place la plante (le cœur) dans le sol et la recouvre de terre, qu'il tasse ensuite avec les pieds. Ces jeunes pousses sont alors prêtes pour le cycle complet de leur propre reproduction et de leur propre croissance, jusqu'à ce qu'elles soient jugées assez matures pour être récoltées et produire de la tequila.

Les fermiers assurent le développement correct de la plante durant sa croissance. Tout d'abord, ils désherbent méticuleusement autour des agaves. Si les champs ne sont pas soignés, le soleil et les pluies ne subviendront pas aux besoins des plantes. La *coña de limpia* est l'outil du désherbage tout

En haut : un jimador déterre un « bulbe » d'agave.
En bas : après avoir coupé la base de la plante, il en examine
le cœur pour juger de sa santé et voir si elle convient à la
repique.

*Si on la laisse croître, la hampe florifère, ou* **quiote,** *poussera très haut et videra le cœur de la plante de tout son précieux sucre.*

comme la *casonga,* très similaire à la faucille. La tâche importante est le traitement des plantes avec des engrais et des nitrates entre la huitième et la douzième année, pour prévenir toute maladie.

Au bout de cinq ou six ans, on étête les feuilles pour faire grossir le cœur. La *machete barbeo* permet cette opération, pour garantir la diffusion du sucre dans le centre plutôt que dans les feuilles, pour grossir le cœur, « chair de la plante » qui fait toute sa valeur. Sur les agaves femelles, le *quiote,* ou hampe florifère, peut pousser tout droit à partir du cœur du végétal. Cette floraison apparaît au cours de la cinquième ou sixième année. Si elle poussait librement, elle viderait le cœur de ses sucres. Pour l'éviter, les hampes florifères sont tout de suite coupées, ce qui réserve le développement au cœur et concentre les sucres.

Les tiges coupées sont souvent cuites et vendues comme cannes à sucre. Le *jimador* utilise d'autres outils pendant la *jima* : le *triangulo*, qui sert à affûter, et le *bule o guaje*, plante évidée qui fait office de récipient d'eau.

Après environ huit ans, l'agave se dessèche en mûrissant. Les fermiers contrôlent alors de près les plantes, surveillant et attendant la meilleure période pour les ramasser. L'intérieur des feuilles proches du cœur de l'agave aura alors pris une teinte vert-jaunâtre. Cette couleur donne le signal de la récolte au *jimador*.

Celui-ci commence à élaguer rapidemment les *pencas* (les feuilles acérées), à l'aide d'un instrument extrêmement tranchant, la *coa*. Il ne reste plus que le cœur, le corps central du végétal, qui ressemble à un ananas géant, d'où son nom populaire de *piña* ; on l'appelle aussi parfois *cabeza*, tête d'agave. Avec sa *coa*, le *jimador* sectionne les racines qui sont à 30 ou 40 centimètres de profondeur. Il déterre l'agave, la retourne et poursuit l'effeuillage, jusqu'à ce qu'il n'y ait plus que le cœur nu ou *piña*. Les plantes récoltées peuvent être très lourdes, pesant de 40 à plus de 80 kilos.

Il existe deux principales régions dans l'État de Jalisco où l'on cultive l'agave bleue et où l'on produit la tequila. La vallée d'Amatitán et la ville de Tequila se trouvent au pied de la « Tequila Mountain », à une cinquantaine de kilomètres à l'ouest de Guadalajara. La plupart des plus grandes distilleries, y compris celles de Tequila Cuervo et Tequila Sauza, ont leur siège à Tequila. Non loin, dans les villes d'Arenal et d'Amatitán, sont installées d'autres distilleries, dont celle de Tequila Herradura.

L'autre principale région productrice de tequila est située à une soixantaine de kilomètres à l'est de Guadalajara, près de la vallée connue sous le nom de Hautes Terres, ou Los Altos, environ 500 mètres plus haut. Les villes d'Arandas, Atotonlico el Alto et Zapotlañejo surtout, et de petits villages abritent encore une vingtaine de distilleries dotées de nouvelles installations tout juste achevées, en construction ou à l'état d'ébauche. C'est à Arandas que le gigantesque manufacturier Seagram's a construit une nouvelle structure ; il tentera de maintenir l'équilibre entre la

*Dès que la hampe florifère apparaît chez l'agave femelle, elle est sectionnée à sa base.*

*L'outil le plus précieux du jimador : la coa est plus tranchante qu'un couteau de boucher.*

Le jimador *a sélectionné une plante mûre et commence à la*
déterrer.

Le jimador *termine le nettoyage de la tête de l'agave,*
la cabeza, *pour en tirer le cœur, ou piña.*

*Les* piñas *sont transportées hors du champ en brouette pour être livrées par camion dans les diverses distilleries de tequila.*

production et la forte demande de sa marque Patrón.

La taille et le goût des *piñas* diffèrent suivant les propriétés des sols de chaque région. Les *piñas* que l'on collecte dans les Basses Terres par exemple – en particulier dans la vallée d'Amatitán –, sont typiques car moins volumineuses que celles des Los Altos. Leur poids varie de 30 à 45 kilos. Dans la région orientale des Hautes Terres, Los Altos, le sol est plus riche, de couleur rouge brune ; sa haute teneur en oxyde de fer augmente la présence de sucre dans la plante. Tout ce qui pousse dans cette région, maïs et fruits, a un goût sucré. Les sols plus riches des Los Altos favorisent la croissance des *piñas* qui peuvent atteindre 100 kilos et permettent aussi une plantation plus dense. Dans les Los Altos, les plantes sont à 1,2 mètre d'intervalle et chaque rangée à 1,6 mètre ; dans les terres plus basses de la vallée de Tequila, ces rangées sont distantes de 3,5 mètres.

Après la récolte, les *piñas* sont chargées dans un pick-up le jour-même, puis livrées aux diverses distilleries où commence la fabrication de la tequila.

Un camion chargé de piñas attend pour livrer à l'entrée d'une distillerie de tequila.

La « zone de livraison », à Tequila Tapatío, dans la ville d'Arandas.

Avant la cuisson, les plus grandes piñas sont découpées.

En un jour, un *jimador* peut récolter trois à quatre tonnes d'agaves, soit environ 150 plantes. Il est payé 35 pesos la tonne ; il peut donc gagner 100 pesos par jour.

## CUISSON ET PRESSION

Dès leur arrivée à la distillerie, la *fabrica*, les plantes sont déchargées dans ce que l'on appelle communément la « zone de livraison ». Elles y sont réceptionnées et préparées pour le processus de production. Afin de faciliter leur cuisson, elles sont coupées en deux ou en quatre.

Chaque producteur cuit les *piñas* selon sa propre méthode.

En ce qui concerne le procédé traditionnel, les fours en brique ou en béton, les *hornos*, peuvent contenir environ 50 tonnes d'agaves. Les ouvriers remplissent ce four de *piñas*, à la main et à ras-bord, pour cuire en même temps le plus d'agaves possible. Après avoir bien fermé les portes, on injecte de la vapeur d'eau dans le four pour créer la pression d'une cocotte-minute. La température idéale pour la cuisson de l'agave est de 54 °C pendant 24 à 36 heures. Puis on la laisse refroidir durant 24 heures supplémentaires, avant de la sortir du four. Pendant ce temps, les plantes libèrent un jus appelé *agua miel*, l'eau de miel. Il est récupéré au fond des fours et stocké dans un réservoir pour être employé ultérieurement.

Une méthode plus moderne, et souvent utilisée, consiste à cuire les *piñas* dans un autoclave ; cette grande citerne en acier inoxydable agit comme une cocotte-minute géante. Dans certaines compagnies, ce sont d'énormes réservoirs en acier inoxydable, remplis par le haut et vidés par le bas, une fois la cuisson terminée. D'autres sociétés possèdent des fours en acier horizontaux, qui ressemblent à des buses couchées sur le côté ; ils sont remplis par l'avant puis vidés par une porte à l'arrière. La cuisson en autoclave permet d'atteindre rapidement de hautes températures et réduit ainsi le temps de cuisson et de refroidissement. Cependant, l'effet sur l'agave est le même quelle que soit la méthode adoptée.

*Dans une distillerie de tequila, un **hornos** (four) traditionnel, dans lequel on cuit l'agave.*

*Dans la grande distillerie de Herradura, les ouvriers chargent l'un des fours à l'aide d'un tapis roulant.*

Pendant la cuisson, les amidons de la plante se changent en sucres qui, à l'étape suivante, fermentent et donnent l'alcool. L'agave prend une couleur orange brun sombre et devient très fibreuse, à tel point qu'on peut la défaire en lanières. Son goût rappelle alors fortement celui des ignames ou des patates douces, en plus sucré.

Après la cuisson, on doit extraire encore d'autres jus de l'agave. C'est l'étape de la pression.

Les *piñas* cuites sont transportées au pressoir sur des tapis roulants ou à la main, suivant l'équipement de l'entreprise. Un pressoir moderne extrait le jus des fibres cuites grâce à une série de lames broyeuses

À *La Escondida*, petite entreprise de la ville d'Arenal, c'est la compagnie Tequila Parreñita qui fait la tequila. Un ouvrier prépare le four pour cuire les agaves, en plaquant de la boue sur les joints de la porte : elle préservera la vapeur injectée pour la cuisson.

Chez *El Llano* (entreprise appartenant à Destiladora Azteca de Jalisco et située dans la ville de Tequila), on utilise un autre type de four : un autoclave horizontal. Cette cocotte-minute en acier peut cuire l'agave en tout juste sept heures.

*Après 24 heures de cuisson et 24 heures de repos, l'agave a une nouvelle apparence.*

*La plupart des nouvelles distilleries utilisent un pressoir moderne pour écraser l'agave et en extraire le jus après la cuisson.*

*L'eau sépare les sucres de la fibre de l'agave.*

quand celles-ci passent sur le tapis roulant. Au même instant, on les arrose pour les débarrasser des sucres fermentés. Le jus extrait ou *agua miel*, est conservé dans un réservoir.

L'extraction du jus de l'agave à partir de ses fibres s'effectue manuellement selon les plus anciennes méthodes. L'agave est écrasée dans une fosse pavée à l'aide d'une énorme roue en pierre pesant au moins deux tonnes, la *tahona* ; celle-ci broie la plante par ses passages répétés. Le jus extrait est porté dans la zone de fermentation. Encore une fois, dans ce cas, le transport était manuel, alors qu'il se fait à présent par convoyeur. À ma connaissance, Tequila Tapatío, producteur de El Tesoro, est l'unique distillerie à utiliser encore et en priorité la *tahona* pour la pression.

## CHAPTALISATION ET FERMENTATION

Après la pression, au cours de laquelle tout le jus a été extrait des fibres cuites, le produit obtenu est prêt pour la fermentation. Les sucres nécessaires, présents dans le jus de l'agave, sont alors transformés en alcool, propre à la distillation.

C'est alors que l'on décide si le jus produira une tequila faite avec de l'agave à 100 %, ou bien *mixto*, c'est-à-dire mélangée.

Dans le premier cas, le jus va directement dans les citernes de fermentation ; dans le second, il faut une étape intermédiaire dans les réservoirs de chaptalisation. En effet, pour les tequilas *mixto*, c'est à ce moment que le sucre est ajouté ; le *piloncillo* (canne à sucre diluée ou jus de mélasse) étant le plus typique. En ce qui concerne les tequilas 100 % pur jus d'agave, seul le jus extrait de la plante est utilisé avec quelques levures.

Pendant la fermentation, celles-ci absorbent les sucres qui se transforment en alcool. Pour les tequilas pure agave à 100 %, les techniques de fermentation varient. Quelques producteurs affirment, non sans fierté, qu'ils n'emploient que des « levures naturelles ». Ils entendent par là qu'elles apparaissent naturellement ; elles sont la plupart du temps cultivées à la distillerie-même. Dans bien d'autres compagnies, la levure industrielle et les catalyseurs accélèrent le processus.

Les structures modestes utilisent souvent des réservoirs de fermentation de 8 000 à 10 000 litres ; les grosses entreprises, elles, possèdent des citernes allant jusqu'à 75 000 litres. Grâce à l'introduction de catalyseurs qui accélèrent le développement et la diffusion des levures, la fermentation est achevée après 36 à 72 heures. Ce procédé est très courant pour la production des tequilas mélangées. Certains producteurs sont fiers de leurs techniques naturelles : ils utilisent exclusivement des levures naturelles et refusent les catalyseurs qui permettent d'accélérer la fermentation. Dans ce cas, l'opération dure entre cinq et dix jours. Souvent, on chauffe doucement la citerne afin d'amorcer le processus. Pendant la fermentation, le jus chauffe et libère du dioxyde de carbone : c'est la transformation des sucres. Le haut de la citerne commence alors à bouillir et « onduler », tandis qu'une mousse couleur crème-marron clair se forme à la surface. L'alcool se forme alors, mais il ne titre que 5°.

## DISTILLATION

La dernière étape du processus de fabrication est la distillation du jus fermenté, ou *mosto*. Selon la loi mexicaine, toutes les tequilas doivent être distillées deux fois. Le *mosto* est transporté automatiquement ou manuellement des citernes de fermentation à l'alambic.

Dans l'alambic en cuve ou tubulaire, il est chauffé jusqu'à l'évaporation de l'alcool ; la vapeur monte dans un condensateur de refroidissement. Refroidie et condensée, elle donne un produit appelé *ordinario*, qui titre entre 20° et 30°.

Les première et dernière parties de la distillation, dites « tête et queue », contiennent des « mauvais alcools », des saletés et des impuretés : ils sont jetés. L'*ordinario*, « le bon alcool », subit une seconde distillation au terme de laquelle la tequila est produite.

Le résultat de cette seconde distillation varie selon le type de tequila. Pour la tequila de qualité supérieure, le produit est souvent distillé selon des normes précises. Cet alcool titre 40°. Les tequilas ordinaires, « en gros », ou coupées, peuvent atteindre 55°.

À *Tequila Tapatío*, où *El Tesoro* est élaboré, un ouvrier jette l'agave cuite dans la cuve de l'une des rares *tahonas encore* utilisées.

*Pour produire des tequilas mixtes ou mélangées, des levures et (parfois) des sucres de fermentation, sont ajoutés aux agaves, pendant la chaptalisation.*

Dans une distillerie moderne, le jus d'agave, ou agua miel, est entreposé dans des citernes de fermentation en acier inoxydable ; leur contenance varie de 8 000 à 75 000 litres.

En haut et en bas : première et dernière étapes de la fermentation, lorsque les levures commencent à agir sur les sucres. Une réaction se produit quand le dioxyde de carbone est libéré.

*La fermentation a lieu dans des fûts en bois à Tequila Tapatío ; les fibres de l'agave écrasée subsistent dans le jus.*

*À Tapatío, le jus d'agave est versé manuellement dans les fûts de fermentation.*

Un ensemble d'alambics, à gauche, dans une petite entreprise traditionnelle, comparé à une structure plus moderne, en bas ; des alambics en acier inoxydable et destinés à la seconde étape de la distillation sont placés derrière ceux de la première phase.

Ce liquide est dilué ensuite dans de l'eau pure, avant l'embouteillage final et le chargement.

## LE VIEILLISSEMENT

Au terme de la distillation, le produit sortant de l'alambic est la tequila sous sa forme la plus pure : c'est la *blanco*, tequila blanche, qu'on appelle aussi parfois *plata*, tequila argentée. Suivant son type, elle est mise en bouteilles, vieillie, ou expédiée en gros là où, s'il s'agit d'une tequila de moindre qualité, elle sera une dernière fois coupée avec des colorants et des parfums de synthèse, puis diluée.

Les tequilas *reposados* ou *añejos* sont vieillies dans des fûts en bois de tailles diverses. Le bois confère une teinte, un éventail de parfums et favorise le développement de la texture, du corps et de la douceur. Les *reposados* sont spécifiquement vieillis dans de grands fûts en bois, souvent faits en séquoia, et parfois dans de petits barils en chêne. Les *añejos* sont généralement vieillis dans des fûts à bourbon du Kentucky. On peut utiliser des barils en chêne d'âges différents. Les plus récents confèrent à la tequila plus de robe et de tanin, et une certaine charpente ; les plus âgés dégagent moins de couleur et de tanin, pour une tequila plus moelleuse. Les vieux fûts donnent un produit plus doux, moins coloré et moins charpenté, car l'effet du chêne s'estompe avec le temps.

*Dans une cuve à large alambic, une résistance chauffe à une température suffisante pour faire évaporer l'alcool du mosto.*

À *La Rojeña, de Jose Cuervo, les alambics en cuivre portent toujours l'alcool à un très haut degré, avant qu'il ne soit dilué.*

Les barils jeunes offrent un alcool plus fort, car le tanin est tout juste produit par le bois, et il colore davantage le liquide. Avec de telles variations d'un fût à l'autre, les producteurs les plus méticuleux mélangent précautionneusement les différents barils pour obtenir les tequilas aux proportions de tanin et de douceur égales ; cette association donne de merveilleuses tequilas artisanales.

Le vieillissement prend entre deux mois et quatre ans suivant le type ou la catégorie de tequila. Celle-ci changera substantiellement pendant cette période, à l'instar des whiskies, des eaux-de-vie et d'autres vins fins. Passés quatre ans, contrairement à ces derniers, la tequila cesse de se bonifier et risque de se détériorer par excès du tanin qu'a diffusé son fût. À l'inverse de nombreux autres alcools fins, la tequila ne se bonifie pas non plus une fois mise en bouteilles. Alors, si vous aviez mis une tequila de côté, la meilleure chose à faire est de la boire !

*Les grands fûts, jusqu'à 30 000 litres, en bois de séquoia typique, peuvent être utilisés pour vieillir les tequilas reposado. Les tequilas añejo doivent être vieillies dans de petits barils en chêne de 200 litres au maximum.*

# LES TYPES DE TEQUILA ET LEURS CLASSIFICATIONS

## LES DIFFÉRENTS TYPES DE TEQUILA

La popularité croissante de la tequila a incité les manufacturiers à varier davantage les types et la classification de leurs tequilas. Suivant les ingrédients et les méthodes d'élaboration de chaque produit, les variétés peuvent être cataloguées de telle manière que le consommateur soit très bien informé sur la tequila avant même d'y goûter. Le gouvernement mexicain a établi quatre catégories qui classent les tequilas suivant leur âge et, dans une moindre mesure, leur contenu.

## CLASSIFICATION DE LA TEQUILA SUIVANT SON CONTENU EN JUS D'AGAVE

Parmi les tequilas, la distinction la plus élémentaire s'établit entre les alcools dits « 100 % agave », et ceux qui ne le sont pas, les *mixtos*. Selon la loi mexicaine, pour qu'un produit puisse s'appeler « tequila », il doit comprendre au moins 51 % de jus fermenté d'agave bleue, teneur qui varie de 51 à 100 %. En ce qui concerne la tequila « pure agave à 100 % », elle doit être constituée exclusivement du jus fermenté de la plante, sans ajout de sucre.

Afin d'éviter la connotation négative du « non » dans « non 100 % », ou encore du terme « mélangée », les producteurs préfèrent désigner ces deux types sous les titres « tequila » et « tequila pure ». Les tequilas mélangées contiennent de 51 à 99 % de jus d'agave bleue. Les 1 à 49 % restants sont les autres sucres ajoutés pendant la chaptalisation, la canne à sucre ou la mélasse principalement.

Les tequilas 100 % pure agave sont considérées comme des alcools de première catégorie.

Tout particulièrement dans le cas des nouveaux petits producteurs, leurs alcools d'âge sont commercialisés sous le nom de « super premium ». La seconde catégorie est désignée par « tequila » tout

# PROCESSUS TYPIQUE DE LA PRODUCTION

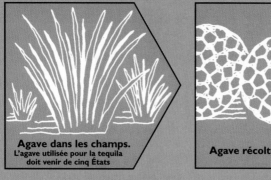

**Agave dans les champs.**
L'agave utilisée pour la tequila
doit venir de cinq États

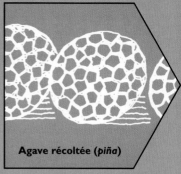

**Agave récoltée (*piña*)**

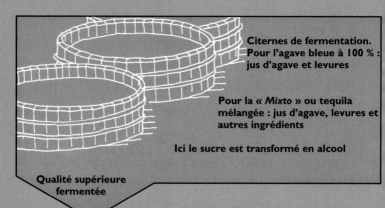

**Citernes de fermentation.**
Pour l'agave bleue à 100 % :
jus d'agave et levures

Pour la « *Mixto* » ou tequila
mélangée : jus d'agave, levures et
autres ingrédients

Ici le sucre est transformé en alcool

**Qualité supérieure
fermentée**

**Distillation
en alambic**

I<sup>re</sup> distillation

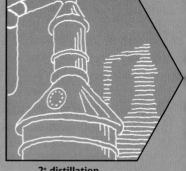

2<sup>e</sup> distillation

**Camion-citerne**

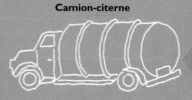

**La tequila qui n'est pas 100 % pure agave est centralisée au
Mexique et aux États-Unis, pour l'embouteillage.**

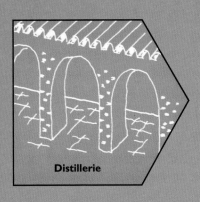

**Distillerie**

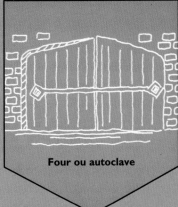

**Four ou autoclave**

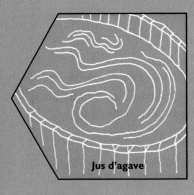

**Jus d'agave**

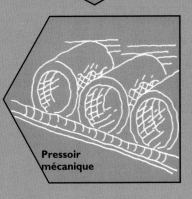

**Pressoir mécanique**

**A. 100 % agave**
*Blanco* mis en
bouteille

Tequila

**B.** *Reposado* = vieilli
pendant 2 mois
minimum
**C.** *Añejo* = vieilli
pendant 1 an au
minimum

Toutes les
tequilas 100 %
pure agave
doivent être
embouteillées au
Mexique

**D.** *Mixto blanco* = pas
de vieillissement
**E.** *Mixto gold* (avec de
colorants et parfums
ajoutés)

simplement, « *mixto* tequila », « tequila mélangée », ou « tequila coupée ». En fait, ces produits n'ont pas d'appellation officielle, mais si l'étiquette n'indique pas clairement que c'est de l'agave bleue à 100 %, alors il est certain qu'il s'agit d'un produit mélangé.

Le gouvernement mexicain exige également que la tequila pure vieillisse et soit embouteillée au Mexique. Pour produire une tequila pure et reconnue comme telle, chaque distillerie doit demander l'autorisation et recevoir l'approbation de la Dirección General de Normas, bureau fédéral qui contrôle la production de tequila. Le Consejo Regulador del Tequila (CRT) est un conseil régulateur mis en place par le gouvernement et les producteurs ; il veille minutieusement à l'élaboration de la tequila par des inspections et des examens réguliers. Réserver la production de tequila à des régions délimitées du Mexique permet à ces organismes officiels d'avoir un plus grand contrôle sur les procédés et la qualité du produit final. Toutes les tequilas de première qualité quittent le Mexique une fois embouteillées et mises en caisses d'expédition.

Les normes d'embouteillage pour les tequilas mélangées ne sont pas celles des tequilas à 100 % pure agave. Seules quelques-unes sont embouteillées au Mexique. Cette opération a lieu souvent dans les mêmes installations, où les tequilas sont séparées puis conditionnées lors de tranches de production différentes. Le reste est exporté en camions-citernes, ou *pipas* ; le taux d'alcool en est plus élevé : c'est la « tequila en gros ». Ce produit de masse aboutit aux États-Unis, près des points stratégiques de distribution, où il est dilué jusqu'au degré d'alcool convenable ; puis mis en bouteilles et prêt à satisfaire la consommation nationale.

Les connaisseurs défendront sans nul doute les mérites de la seule tequila 100 % pure agave et dénigreront n'importe quel autre alcool. Néanmoins, beaucoup consomment « le reste », car de bonnes tequilas existent dans les deux catégories. Si l'on veut une bonne « expérience de tequila », une tequila pure agave, la « vraie », rendra le mieux la saveur de l'agave bleue et son vrai caractère. Ces tequilas ont un bouquet de qualité, du corps et restent bien en bouche.

À l'extrême droite, les camions-citernes, ou pipas, transportent de grandes quantités de tequila à forte teneur en alcool et pure, vers les centres d'embouteillage, près des centres de distribution au Mexique et aux États-Unis.

Il serait juste de préciser que l'ajout de sucre, qui d'une certaine manière masque le parfum de l'agave, accorde au producteur de tequila mélangée une plus grande liberté dans le choix des plantes. Par-dessus tout, chaque tequila convient à une manière de boire. Bon nombre de ces possibilités seront étudiées plus loin. L'intérêt croissant pour cet alcool a permis au public de mieux apprécier les qualités de la tequila 100 % pure agave, ce qui accroît la part de marché des spiritueux de luxe et de qualité supérieure. Cependant, notons que moins de 5 % de la tequila exportée du Mexique appartient à la catégorie 100 % pure agave.

## L'ÂGE DE LA TEQUILA

À côté de la teneur en jus d'agave, le facteur-clé déterminant la qualité et la personnalité de l'alcool, et outre sa robe, son arôme, sa consistance et son goût, réside dans son âge et la manière dont il a été vieilli. L'âge des tequilas varie généralement d'un jour à plusieurs années après leur sortie de l'alambic. Les caractéristiques de ces produits forment un éventail spectaculaire ; elles seront mieux savourées et appréciées lorsqu'on a compris leurs différences et ce qui fait ces différences.

Quand j'étais au Mexique, j'ai un jour demandé à un ouvrier dans une distillerie comment il décrirait le goût de la tequila. Il me répondit : « Quel est le goût du thym ? »

« Le goût de thym », rétorquais-je. La bonne tequila possède le goût d'agave et pour le comprendre, il faut la goûter. Selon moi, la signature du parfum est immanquable et bien plus intéressante que celle des autres alcools blancs. La tequila renferme une saveur terreuse et végétale. Suivant son âge, son parfum sera terreux, proche de celui du champignon, à poivré, parfois même mentholé ; dans le cas d'une tequila âgée, il sera vanillé à fumé.

Nous avons abordé les principales différences de la tequila, mais pourquoi y a-t-il des tequilas blanches à 150 francs, et d'autres à 50 ? Il faut distinguer les tequilas de qualité supérieure
– élaborées uniquement à partir de jus d'agave bleue – de celles qui sont mélangées ou qui appartiennent à la variété 51 à 99 %. Le parfum de ces deux dernières est altéré par les sucres ajoutés lors de la chaptalisation. Cela ne signifie pas que cet alcool coupé ne soit pas bon. Consommée « pure », avec toute la saveur de l'agave, la tequila élaborée à 100 % avec du jus d'agave permet la plus juste appréciation. Dans un cocktail, n'importe quelle tequila de bonne qualité convient, qu'elle soit pure ou non.

## LA TEQUILA BLANCO (TYPE I)

Comme nous l'avons décrit dans le chapitre consacré à la fabrication, la tequila est initialement « *blanco* », ou « blanche », après la distillation. Ce produit est parfoit dit « argenté », ou encore « *plata* » en espagnol. Il n'existe rigoureusement aucune différence entre les produits ainsi nommés : pour cette catégorie, les divers noms reflètent surtout les préférences commerciales du producteur.

La tequila sous sa forme la plus pure est la *blanco*. Fermentée et distillée, elle n'a pas vieilli en fût. Légalement, une tequila *blanco* n'a pas vieilli 60 jours. En fait, presque tous les producteurs gardent l'alcool dans des citernes en acier inoxydable et non en bois, pendant une brève période précédant l'embouteillage. Il est exceptionnel que la tequila soit conservée brièvement dans de grosses barriques en bois. Ce procédé n'a quasiment aucune incidence sur le parfum de la tequila ; l'alcool est le plus pur qui soit.

Les tequila *blanco* possèdent une robe claire et peuvent être 100 % pure agave ou mélangées. Comme la distillation ôte toutes les impuretés du produit et, par définition, distille l'alcool hors du produit, seul subsiste ce fameux alcool clair. Le parfum de la tequila naturelle n'ayant pas été altéré par quelque bois que ce soit, *blanco* est la plus pure expression de la tequila et de son essence essentielle, l'agave.

L'arôme et le goût d'une tequila *blanco* sont l'expression la plus naturelle de l'agave sous forme liquide. Elle aura une saveur fleurie, végétale et quelque peu poivrée, spécifique, compensée par la douceur naturelle de l'agave. Généralement, les tequilas *blanco* sont plus « âpres » que celles qui vieillissent au contact du bois. On les dit sèches, épicées, voire même poivrées, en référence à cette caractéristique propre. Une bonne *blanco* 100 % agave peut en fait avoir beaucoup de finesse tout en diffusant ses arômes entiers.

## LA TEQUILA REPOSADO (TYPE III)

Littéralement, *reposado* signifie « reposé ». Légalement, une tequila *reposado* doit avoir vieilli dans un fût de bois pendant au moins 60 jours. Ce délai dépasse rarement un an. Ce séjour s'effectue parfois dans de très grandes barriques en bois de 10 000 à 30 000 litres, mais aussi dans des petits fûts de chêne. Malgré ce délai de 60 jours, la *reposado* vieillit entre deux et neuf mois, suivant le style propre à chaque producteur. J'en ai même goûté qui avaient vieilli en barrique pendant 13 mois, mais c'est plutôt inhabituel.

Le vieillissement influence l'apparence, le bouquet ou l'arôme, mais aussi le goût de la tequila. Le contact initial avec le bois rend sa robe transparente paille clair, voire ambre moyen. Cette altération spécifique dépend du bois utilisé et de la durée du vieillissement. Du point de vue technique, le vieillissement consiste à oxyder les alcools ; ceux-ci changent ensuite la composition du liquide et l'adoucissent. Il n'en est pas de même pour les *añejos*, dont le vieillissement permet la diffusion des caractéristiques du bois dans la tequila. Sur le plan pratique, en ce qui concerne le bouquet et le goût, vieillir brièvement les *reposados* adoucit un peu la tequila, « l'émousse ». Les *reposados* sont alors moins âpres et légèrement plus moelleuses que les *blancos*. Cependant, l'arôme puissant de l'agave demeure très présent grâce à ce faible vieillissement. Les *reposados* présentent un équilibre subtil entre l'essence ou l'âme de l'agave bleue, si clairement exprimée dans les *blancos,* et l'empreinte délicate du chêne qui est vanillée et épicée. En somme, le vieillissement au contact du bois procure une saveur âpre et un arôme prononcé, qui reste en bouche.

Alors qu'elles sont très populaires au Mexique, à l'exportation les *reposados* sont les moins connues des tequilas de qualité supérieure. À nouveau, c'est la curiosité croissante et l'engouement pour la tequila en général qui a stimulé l'intérêt que suscitent ces *reposados* et leurs nuances subtiles. Il existe désormais de nombreuses et excellentes *reposados* sur le marché, 100 % agave ou mélangées. Elles sont appréciées pures ou en cocktail, comme les *blancos*. Par exemple, une boisson très en vogue au Mexique consiste à mélanger de la tequila *reposado* et du jus de pamplemousse. Les nuances aromatiques de la *reposado* pure s'exprimeront dans tous les cocktails pour lesquels elle sera utilisée.

## LA TEQUILA AÑEJO (TYPE IV)

Littéralement, *añejo* veut dire « âgé ». Selon la loi mexicaine, une tequila *añejo* doit être vieillie pendant au moins un an dans des fûts de 600 litres scellés par le gouvernement. Malgré cette durée minimale exigée, les périodes de un à trois ans suivant les distilleries sont courantes. Les fûts utilisés sont habituellement de vieux barils à whisky du Kentucky de 190 litres. Le vieillissement d'une tequila *añejo* étant plus long, sa robe plus sombre que celle d'une *reposado* ; son bouquet et son arôme sont encore plus doux et moelleux. Ses qualités se rapprochent plus des alcools vieillis, tels les bourbons et les whiskies, car le fût en bois a plus de chance d'influencer son corps et son parfum.

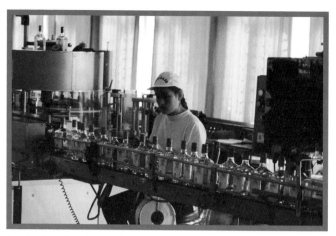

*La chaîne d'embouteillage de Tequila Herradura, où El Jimador et Herradura sont conditionnées pour l'exportation dans le monde entier.*

Les meilleures tequilas *añejo* gardent toujours cet équilibre délicat entre l'essence de l'agave et l'arôme conféré par le vieillissement en fût de chêne. Bien sûr, ce dernier est plus prononcé et plus flagrant chez l'*añejo* que chez la *reposado*. Pour créer une *añejo* de qualité, il faut combiner le parfum de l'agave avec toutes les qualités que procure le bois de chêne : la douceur du corps de l'alcool, la touche épicée et le goût vanillé. Le résultat : un produit de luxe, à l'égal de n'importe quel autre spiritueux vieilli, une palette complexe d'arômes et de parfums savoureux.

Plus étoffées et plus riches, les tequilas *añejo* peuvent être dégustées de la même manière que les autres alcools vieillis. Elles peuvent être servies dans un verre à cognac ou même un *capita*, verre à vin utilisé communément pour les desserts. Les nuances de l'agave et les qualités conférées par le vieillissement en fût de chêne seront mieux capturées et appréciées dans un grand verre ballon.

Cela ne signifie pas que les tequila vieillies, *reposado* ou *añejo*, ne doivent jamais servir à la confection d'une margarita ou d'un autre cocktail.
En fait, les vieilles tequilas peuvent doter ces boissons d'un style tout à fait différent et très prisé des consommateurs. Au Mesa Grill, la très populaire *añejo* Sauza Conmemorativo, dans notre célèbre « Prickly Pear Margaritas », a longtemps été utilisée pour

donner au cocktail l'équilibre et la douceur. Si les ingrédients sont de qualité, les caractéristiques réelles de la tequila transparaîtront ; votre propre goût sera votre meilleur guide. Dans la partie consacrée aux recettes, nous nous amuserons à explorer les nombreuses variantes de mélanges composés avec les différentes tequilas.

Tout comme les *blancos* et les *reposados*, les *añejos* peuvent être 100 % pure agave ou mélangées. Cependant, beaucoup de tequilas disponibles sont des 100 % agave qui profitent du marché croissant des tequilas de « qualité supérieure ». Voici quelques années, certains produits ont été brièvement commercialisés avec la mention *muy añejo* sur l'étiquette. Il s'agissait de bouteilles très âgées. Quelques producteurs qui suivaient de près l'explosion du marché des « qualités supérieures », décidèrent de faire un pas de plus en proposant un produit encore plus prestigieux que l'*añejo*. Mais le CRT n'ayant pas officialisé cette mention, ils durent le désigner à nouveau sous le terme d'*añejo*. Si le vieillissement légal d'un an au moins est dépassé, les fabricants souhaitent le stipuler sur l'étiquette. Si un produit a été vieilli pendant trois années, « trois ans d'âge » y est mentionné.

Actuellement, de nombreux produits nouveaux sont vieillis dans divers types de fûts et les producteurs leur attribuent de nouveaux noms de propriétaire afin de les distinguer des autres *añejos*. C'est la cas de la « Paradiso » d'El Tesoro, de la « Selección Suprema » d'Herradura et de la « Barrique » de Porfidio. En dépit des légères différences d'élaboration et de leur prix plus élevé, toutes ces tequilas restent officiellement des *añejos*. Comme un long vieillissement n'ajoute rien à la valeur de la boisson – contrairement aux autres alcools distillés –, la différence entre ces produits de luxe et leur semblable (la simple *añejo)* réside surtout dans la qualité du bois utilisé.

Certains producteurs de ces tequilas, inspirés par la France, utilisent les fûts qui ont servi au cognac ou aux grands vins.

# LA TEQUILA JOVEN ABOCADO, TYPE II (GOLD)

Comme il a déjà été dit, les tequilas *blanco*, *reposado* et *añejo* peuvent être 100 % jus d'agave ou mélangées, ce qui aboutit à six différentes classifications ou types de tequilas. La septième et dernière classification officielle est la catégorie *joven abocado* ou « *gold* », presque toujours constituée de tequila mélangée. Jusqu'à la récente explosion du marché de la tequila de qualité supérieure et l'intérêt croissant porté aux vertus et attributs des différents types et classes de tequilas, les « tequilas *gold* » (tel est leur nom usuel) étaient la valeur sûre, reconnue par la plupart des épiceries, des bars, des restaurants et des cafés.

De nos jours encore, plus de la moitié des tequilas exportées sont des *joven abocado* ; un autre tiers sont les *blancos*, pour la plupart mélangées, contre 3 % de *reposados* et autant *añejos*.

La tequila *gold* ou *joven* (jeune) n'est pas vieillie, ou il s'agit d'une *blanco* colorée et parfumée après la distillation. Puisque cette dernière opération donne un produit blanc, la couleur ne vient pas du vieillissement en fûts de bois, mais est artificielle, le plus souvent en ajoutant du caramel. Le but est de simuler les effets que le vieillissement produit dans les fûts.

L'ajout de caramel, d'arômes ou de colorants obéit à des intérêts multiples. D'abord, les additifs atténuent l'âpreté typique de la jeune tequila.

Bien que celle-ci soit considérée comme un signe de pureté, qualité recherchée par les connaisseurs, les consommateurs occasionnels préfèrent un parfum plus doux. Puisque « le temps, c'est de l'argent », pour n'importe quel travail, ajouter des colorants et des parfums est bien moins onéreux que le vieillissement dans des fûts en chêne, sans compter les fûts proprement dits. Le coût de production de ces tequilas au vieillissement artificiel ou simulé, peut être bien moindre que celui d'une authentique *reposado* ou *añejo*. Ces produits sont donc moins chers. À dire vrai, la tequila *gold* est surtout destinée à l'exportation. Rares sont les Mexicains qui commandent une tequila *oro*.

Bien sûr, le vieillissement en barrique ou en fût procure un arôme plus authentique, comme celui de

*Les fûts destinés au vieillissement des tequilas añejo sont scellés et ne peuvent être ouverts que par les inspecteurs du CRT.*

l'agave bleue enrichi par le chêne brûlé.

Un tel arôme de chêne ou de vanille, si subtil, ne pourrait jamais être restitué par des colorants et des parfums artificiels. Puisque bien des saveurs sont occultées par les autres ingrédients dans les cocktails, les tequilas *gold* sont réservées à ces mélanges, pour lesquelles l'authentique arôme de l'agave bleue ne prime pas et se trouve mêlé à d'autres parfums, comme par exemple les margaritas.

## À PROPOS DE LA « TEQUILA EN GROS »

D'après les statistiques économiques, nombreuses sont les tequilas embouteillées hors du Mexique. Légalement, seules les 100 % agave et toutes les tequilas vieillies, qu'elles soient *reposado* ou *añejo*, doivent être mises en bouteilles au Mexique. Les *blancos* mélangées ainsi que toutes les *joven abocados* ne sont pas concernées. Il se trouve que ce sont celles-ci qui font le plus de volume à l'exportation. Elles sont diluées juste avant l'embouteillage et leur distillation s'achève avec un alcool de 55° ou plus, et non de 40° qui serait immédiatement mis en bouteilles ou vieilli. Ne serait-ce que par sa quantité, la production de cette tequila, élaborée et transportée « en gros », occupe une place très importante dans cette industrie.

Si l'alcool est vendu en tant que *blanco*, il est expédié « tel quel ». S'il est *joven abocado*, le caramel, les colorants ou parfums artificiels sont ajoutés au Mexique, conformément à la réglementation qui assure le contrôle de la qualité de son élaboration.

Blanche ou *gold*, la tequila est alors chargée dans de grands camions en acier inoxydable, comme des camions-citernes, puis elle est transportée « en gros » aux États-Unis, où elle est embouteillée. Avant cette dernière opération, la tequila est diluée avec de l'eau distillée afin d'abaisser son alcool à 40°. De grandes économies sont ainsi effectuées en exportant un produit à la teneur en alcool la plus forte possible : la quantité finale de la tequila embouteillée est augmentée par le volume d'eau servant à la dilution.

En ce qui concerne la plupart des grands producteurs de tequila, la majorité de leur chiffre d'affaires repose sur la tequila en gros qu'ils mettent en bouteilles et étiquettent eux-mêmes, avec leurs propres marques. De nombreuses autres grandes distilleries produisent de la tequila en gros pour diverses marques commercialisées aussi bien au Mexique qu'à l'étranger.

*Montezuma et El Toro, de Barton Imports, sont deux des meilleures marques de qualité des « tequilas en gros ». Blanches ou gold, elles sont mises sur le marché avec une stratégie basée sur le rapport qualité/prix ; elles composent les margaritas maison des meilleurs bars et restaurants.*

La méthode traditionnelle : dans l'établissement d'embouteillage de Tequila Tapatío, à Arandas, un ouvrier appose à la main
le sceau sur la bouteille.

# COMPRENDRE L'ÉTIQUETTE

Que vous soyez un connaisseur en vin, un expert en
whisky pur malt, ou un *aficionado* de la bière, n'ayez
aucune honte à éprouver un peu d'embarras devant
une bouteille de tequila et son étiquette.

Pour mieux comprendre ce que vous buvez et sa
provenance, vous devez pouvoir différencier parmi les
distilleries, les producteurs, les usines d'embouteillage,
les importateurs, le nom des marques ou des produits
et enfin, les classifications suivant le contenu et l'âge
indiqués.

**LES DISTILLERIES** Actuellement, environ
50 distilleries ou coopératives produisent de la tequila
dans les régions autorisées. Chacune est recensée par
le gouvernement mexicain qui est seul juge pour
délivrer les autorisations. Mais le marché étant en

pleine expansion, l'approximation du chiffre reflète la constante progression du support de production.

Dans la plupart des cas, le nom de la compagnie de production diffère de celui de la distillerie qui lui fournit l'alcool. La première porte souvent le nom de ses propriétaires, actuels ou passés, comme Tequila Cuervo ou Tequila Sauza ; en revanche, les distilleries ou les usines dont le nom figure parfois sur les bouteilles sont souvent d'une grande importance historique. Par exemple, la distillerie principale dans laquelle sont élaborés les produits Sauza s'appelle La Perseverancia. À chacune, le bureau dirigeant attribue un NOM servant à identifier l'origine de chaque bouteille.

Dans notre exemple (voir page 60, n° 1), le nom de la distillerie figure en petites lettres où se lit « fabriqué et mis en bouteille par : Jesús Partida Melendrez ». La distillerie où le produit a été élaboré correspondra au numéro du NOM qui lui a été attribué. Dans notre cas, le numéro 1 258 correspond à la distillerie Melendrez (voir page 60, 2). Comme nous l'avons expliqué plus haut, la distillerie porte un nom supplémentaire ; dans l'exemple présent, il s'agit de « La Magdalena Factory La Esmeralda Ranch », qui a probablement une signification historique pour ses propriétaires.

## LES PRODUCTEURS/LA COMPAGNIE

Habituellement, le nom qui ressort le plus sur l'étiquette ou sur la bouteille est la marque de la tequila. Parfois, c'est aussi le nom du producteur, tout ou en partie, s'il fabrique plusieurs produits. Prenons l'exemple de Sauza : pour Sauza Conmemorativo ou Sauza Hornitos, Sauza est le nom du producteur, Conmemorativo et Hornitos ceux de produits différents et bien distincts.

Sur notre étiquette, « Tres Mujeres » désigne autant l'établissement producteur que la marque bien particulière de la tequila (voir page 60, n° 3). Cependant, il ne précise pas nécessairement où cette tequila a été produite. N'importe quelle tequila fabriquée dans une structure autorisée pourrait s'appeler « Tres Mujeres », tant que son appellation et

TEQUILA REPOSADO — 6

40% Alc. Vol.    NOM 1258 CRT — 2

*Tres* TM — 3

*Mujeres* MR

LA MAGDALENA FACTORY LA ESMERALDA RANCH
Km. 30 International Highway to Nogales Amatitán, Jalisco, México.
Elaborated and Bottled under the supervision of the Mexican Goverment

Fabricated and bottled by:
Ing. Jesús Partida Melendrez — I

R.F.C. PAMJ 530611 TW2    NET CONT. 750 ml

MADE IN MEXICO

TEQUILA 100% DE AGAVE — 5

IMPORTED BY TRANS COMERCIO, INC. VALPARAISO, INDIANA — 4

son NOM sont indiqués sur la bouteille. Prenons un autre exemple : « El Tesoro de Don Felipe » se réfère seulement à la marque de la boisson, et non au nom de la compagnie qui la produit (Tequila Tapatío), ni à l'établissement dans lequel elle est conçue, La Alteña. Dans ce dernier cas, la tequila est élaborée sous une autre marque, qui tire son nom de l'établissement. Cette marque reflète bien le nom de la compagnie à laquelle appartient et s'appelle simplement « Tapatío ».

**LES IMPORTATEURS** Dans le monde moderne de la distribution des alcools, les plus grandes marques appartiennent généralement à d'immenses consortiums internationaux. C'est le cas de nombreuses grandes marques de tequila, subdivisions de compagnies plus importantes, qui injectent ce produit ou cette marque dans les grands marchés, États-Unis surtout, avec d'autres marques d'alcool ou d'autres produits.

Les marques sont généralement modestes, représentées et vendues par une société d'importation spécialisée, et parmi d'autres produits. La France n'échappe pas à la règle et des importateurs mettent en bouteille, pour de grandes chaînes de distribution nationale, la tequila sous différentes marques créées par elles : Zapata, Tehuacan, Montezuma, Acayucan, Canitxa, Joselito… Le marché français, qui a connu un formidable essor ces dernières années, représente aujourd'hui un million deux cent mille bouteilles commercialisées. Le réseau de la propriété des marques, de l'importation et de la distribution peut être encore plus complexe. En bref, sur l'étiquette figure le nom de la société responsable de l'étape finale, qui fournit votre épicerie ou votre restaurant en tequila (voir légende page 60, n° 4).

Si vous aimez une tequila récente ou rare, parmi toutes les nouvelles eaux-de-vie qui sont commercialisées, vous saurez à qui vous adresser si vous souhaitez vous en procurer. Sur notre étiquette, l'importateur est Trans Comercio, Inc.

**LE TYPE DE TEQUILA** L'étiquette précise aussi le type de l'alcool. Si la tequila est 100 % pure agave, l'étiquette le signale sûrement (voir légende page 60, n° 5). Sinon, ou si elle est *mixto*, ce ne sera pas spécifiquement indiqué. Cependant, l'absence de la référence 100 % sera significative. En ce qui concerne l'âge de la tequila, il est clairement stipulé sur l'étiquette si elle est *reposado* ou *añejo* (voir légende page 60, n° 6). Il en est de même pour bien des tequilas blanches, ou *blancos*, en particulier celles de qualité supérieure. Si les indications manquent pour les tequilas *gold* ou *abocado*, l'absence de toute autre information, conjointement à la couleur, vous permettra de les reconnaître – demandez-vous simplement comment cette tequila peut être si sombre alors qu'elle n'a pas été vieillie.

# COMMENT DÉGUSTER LA TEQUILA

L'intérêt croissant pour toutes les catégories de tequila et pour la qualité de leurs versions de luxe a changé le comportement des consommateurs. Quand le choix était limité à des alcools moins authentiques, peu chers et produits majoritairement en masse, le cliché de la tequila frappée devait illustrer fidèlement la consommation typique de cet alcool. À présent, la tequila est une eau-de-vie de qualité supérieure, digne d'être dégustée pure ou combinée avec des ingrédients de marque, en cocktails de grande classe.

Je n'ai rien contre les petits verres, mais mon expérience de la dégustation me fait penser que ce type de verre ne sera pas idéal pour déceler les nuances qui font le caractère de chaque tequila. Par analogie, personne ne conseille de boire un whisky pur malt d'un trait ; pareillement, une bonne tequila devrait être savourée et non bue d'un coup. Avalez une rasade de tequila en une seule gorgée et vous passerez à côté de toutes ses subtilités.

Ce n'est pas tant la forme ou la taille du verre qui pose problème, mais plutôt la tendance à boire cul-sec plutôt que de siroter et de déguster. Au Mexique, la tequila pure est souvent servie dans des verres plus grands et plus effilés que les verres à eau-de-vie habituels. Un verre de *sangrita* accompagne souvent la tequila : c'est un mélange relevé, constitué à parts égales de jus d'orange et de tomates, de citron (ou de citron vert), de sel et de sauce piquante « *chili pepper* ».

Quel que soit le verre choisi pour votre tequila, vous devez toujours utiliser la même méthode : laissez-la saisir le bout de votre langue, décaper vos papilles gustatives et brûler votre palais. Avec un minimum de connaissances sur les caractéristiques générales de la tequila, voici quelques suggestions pour aborder le mieux cette boisson « mystique ».

Les tequilas *blanco* (appelées aussi *plata* ou argentées) laisseront la plus forte impression fruitée (la marque de l'agave) ; leur pureté en font aussi les tequilas les plus sèches. Si vous devez utiliser un petit verre, servez cette variété – on ne peut pas rater son parfum. Grâce à l'intensité de son arôme si éclatant, elle serait mieux appréciée et savourée dans un verre à whisky, pure ou avec des glaçons. Ce que je fais souvent avec les *blancos* : je les garde au réfrigérateur et je les sers fraîches. La température en adoucit l'âpreté sans compromettre la splendeur de l'arôme.

À l'opposé, les tequilas *añejo*, bien plus complexes que les *blancos*, ne devraient jamais avoir affaire à un verre à liqueur. Généralement, les *añejos* sont consommées comme tout autre alcool « ambré » de luxe. Certains les préfèrent avec des glaçons, comme ils consommeraient un whisky pur malt ou un bourbon millésimé ; d'autres ont le sentiment que, de par sa complexité, il est préférable de le prendre après dîner, dans un verre ballon à cognac. Un ballon est idéal pour saisir le bouquet unique des *añejos*, et celui, encore plus fleuri et puissant, des « super *añejos* ».

Entre ces extrêmes, les *reposados*, que je préfère pour leur souplesse, sont caractérisées par l'équilibre subtil entre l'arôme fruité et percutant de l'agave fraîche, que l'on trouve dans la *blanco*, et le moelleux, le corps et le parfum de l'*añejo*. Une *reposado* peut être savouré dans les mêmes conditions qu'une *blanco* ou une *añejo*. Essayez-la pure, avec des glaçons ou en cocktail.

À propos de cocktails, que dire des margaritas ? Après tout, la grande popularité de cette boisson n'est pas étrangère à la célébrité croissante de la tequila. Pour ma part, je préfère une *blanco* ou une *reposado*, car les saveurs vives de ces tequilas résistent et complètent de la meilleure façon la fraîcheur fruitée des autres ingrédients. Prenez une *añejo* pour une margarita plus souple et plus complexe (pour plus d'information sur la margarita, voir le chapitre page 145).

# LES PRODUCTEURS DE TEQUILA

Ce chapitre est consacré au marché actuel de la tequila, marque par marque. Celles qui suivent ont été choisies pour illustrer un ou plusieurs des éléments suivants : méthodes typiques de production, techniques d'élaboration innovantes, intrigues et histoires romantiques. Chacune de ces marques offre une perspective unique sur une industrie au passé riche, mais aussi en perpétuelle évolution.

À la date de publication de ce livre, il existe environ 50 distilleries de tequila au Mexique. La plupart de ces noms ne diront rien, même à un connaisseur en tequila, car les compagnies qui possèdent ces distilleries sont avant tout dans le commerce de la « tequila en gros » et sous diverses marques ; d'autres compagnies produisent de la tequila réservée au marché intérieur mexicain. Par ailleurs, plusieurs marques, dont certaines de première qualité, passent en fait des contrats avec différentes distilleries afin qu'elles conçoivent leurs produits ; ces « producteurs de marques » peuvent aussi changer à l'occasion. Le nom de ces distilleries ne sera peut-être pas familier non plus. Bien sûr, plusieurs compagnies possèdent leurs distilleries et attribuent leur propre nom à leurs produits. Il en va de même pour le marché français. Mais il faut savoir que la plupart des tequilas vendues en France ne sont pas 100 % agave. Seules certaines bouteilles comme celle de la marque Mariachi peuvent prétendre à cette mention sur leurs étiquettes… Les importateurs français achètent de la tequila en vrac, la mettent en bouteille en France et la commercialisent sous différentes marques. Celles citées dans les pages suivantes ne peuvent pas toutes être trouvées en France ; mais il est toutefois intéressant de les connaître pour comprendre les méthodes de production, les techniques d'élaboration et leur histoire.

De nouvelles marques étant sans cesse commercialisées, la liste qui suit ne prétend aucunement être exhaustive. J'ai plutôt operé une sélection parmi les marques les plus populaires actuellement distribuées sur le marché américain au niveau national, ou qui sont en passe de l'être. Il y a évidemment pléthore de marques que l'on ne peut trouver qu'au Mexique, et bien d'autres qui ne sont disponibles que sur des marchés particuliers. J'ai préféré choisir les producteurs de tequila de première qualité plutôt que de dresser une liste complète des fabricants de tequila en gros, difficiles à distinguer les uns des autres.

La description de chaque marque, classée par ordre alphabétique, comprend quelques notes sur son histoire, des informations sur les procédés de production de la compagnie et des précisions sur ses produits spécifiques. À côté de leur classement dans l'une des catégories d'âge légales, j'ai noté la durée du vieillissement qui leur était appliquée, selon la compagnie. Des informations précises sur ce sujet sont parfois sommaires, ce qui justifie que rien ne vaut la dégustation de la tequila elle-même. Par définition, les *blancos* sont jeunes, mais elles peuvent être légalement vieillies jusqu'à 60 jours ; les *reposados* ont au moins deux mois d'âge et les *añejos*, au moins un an. Les tequilas *joven abocado* sont également jeunes de fait, mais peuvent être colorées artificiellement. Pour contribuer à la description des saveurs, j'ai ajouté des remarques et des réactions notées lors des dégustations, menées par le comité de dégustation du Mesa Grill, début 1998.

# CENTINELA

## LA COMPAGNIE ET SON HISTOIRE

Parmi les compagnies situées sur les hautes terres de Jalisco, dans la région appelée Los Altos, Tequila Centinela, qui se trouve dans la ville d'Arandas, est l'une des seules qui produisent exclusivement des tequilas 100 % agave bleue. Depuis 1894, la Centinela est élaborée dans une distillerie familiale de taille très moyenne ; présumée l'une des plus anciennes du Mexique, elle a reçu sa licence de production en 1904.

Quand je l'ai visitée, elle était en rénovation et améliorait sa capacité de production afin de satisfaire la demande croissante en tequila. À l'instar de nombreux producteurs, qui créent des marques différentes selon l'exportation ou le marché national, Tequila Centinela élabore une autre 100 % pure agave, El Cabrito, presque exclusivement distribuée au Mexique ; sa distribution est limitée dans les États frontaliers, comme le Texas ou la Californie. La marque Centinela est vendue sur le marché intérieur et exportée aux États-Unis. Les deux produits de Tequila Centinela sont assez semblables, mais les différences d'élaboration permettent à El Cabrito, le plus important, d'être fabriqué plus rapidement. Bien que tous deux soient d'excellente qualité, Centinela reste la marque phare de la compagnie.

Après une discrète apparition aux États-Unis dans les années 1930 et 1940, Centinela a fait un lent retour en 1993, plus flagrant en 1995. Elle s'est constitué un public de fidèles parmi les connaisseurs en tequila. Le maître en distillerie, Jaime Antonio Gonzalez Torres, fait de la tequila depuis l'âge de douze ans et supervise la production de la Centinela depuis plus de 30 ans. Il a appris son métier de son oncle Salvador, qui l'a exercé des années 1930 au début des années 1960. Ses ancêtres se sont mis à la distillation de la tequila voici plus d'un siècle. Enracinée dans l'histoire, la compagnie s'enorgueillit d'utiliser plusieurs techniques traditionnelles pour obtenir un produit authentique, d'une qualité exceptionnelle.

À *Tequila Centinela, les technologies anciennes et modernes fournissent ensemble un produit au goût authentique. L'agave est cuite dans un hornos traditionnel et son jus est extrait à l'aide d'un pressoir moderne.*

## LA PRODUCTION ET LES PRODUITS

Bien que Centinella possède ses propres cultures, ses propriétaires achètent une partie des agaves au marché local ; ils ne prennent que l'agave bleue provenant du sol riche et rouge des Hautes-Terres de Jalisco. La devise de Centinela est « *Unico por su pureza* », « Unique par sa pureté ». Beaucoup sont faites de manière traditionnelle et la technologie n'intervient que pour améliorer le produit. L'agave est cuite dans des fours en pierre, ou *hornos*. Puis elle est pressée et la fermentation est effectuée exclusivement avec des levures naturelles. Aucun additif chimique ne sert à l'accélérer ; elle prend huit à dix jours en général, dans des citernes de fermentation en acier inoxydable de 10 000 litres. Après une double distillation dans des alambics ronds en acier inoxydable, les quatre alcools Centinela sont mis en bouteilles ou vieillis. Chacun d'entre eux possède son caractère spécifique et ses fidèles adeptes.

## CENTINELA BLANCO

*Type* : 100 % agave bleue
*Âge* : **Blanco ;** pas de vieillissement

Une tequila jeune et très pure. La Centinela Blanco est une excellente référence pour qui veut le vrai parfum de l'agave de Los Altos. Les dégustateurs ont trouvé cette tequila très douce, avec un léger parfum d'agave, ce qui la rend très accessible, tout particulièrement pour l'amateur moins expérimenté.

## CENTINELA REPOSADO

*Type* : 100 % agave bleue
*Âge* : **Reposado ;** vieillie pendant six à neuf mois

Centinela vieillit ses *reposados* pendant six à neuf mois, bien au-delà des deux mois requis pour cette catégorie. Elles reposent dans de petits fûts en chêne blanc d'Amérique de 200 litres, qui ont servi auparavant à vieillir le whisky au Kentucky. La Centinela *reposado* acquiert donc un léger soupçon de senteur de chêne et est dite généralement « délicate ». Je la boirais pure ou en ferais même une margarita de première qualité.

## CENTINELA AÑEJO

*Type* : 100 % agave bleue
*Âge* : **Añejo ;** vieillie pendant douze à 18 mois

Comme pour ses *reposados*, Centinela vieillit l'*añejo* plus longuement que ne le prévoit la catégorie. S'ils sont conformes aux normes de Centinela, les fûts utilisés sont réemployés ; ainsi, le produit final dégage moins de tanin, paraît plus doux et reste plus longtemps en bouche. Dans ce cas, le vieillissement en fût adoucit la tequila et lui confère une saveur boisée. Les dégustateurs ont apprécié le bouquet à la fois capiteux, subtil et attachant de cette tequila *añejo* qui préserve un magnifique parfum d'agave. La Centinela Añejo est une excellente tequila à déguster à petites gorgées.

## CENTINELA AÑEJO « TRES AÑOS »

*Type* : 100 % agave bleue
*Âge* : **Añejo ;** vieillie pendant trois ans

Le « Tres Años » est le produit phare de Centinela. En fait, il s'agit d'une *añejo* qui, pendant le vieillissement, a été jugée apte à vieillir encore un peu plus. Elle est beaucoup moins chère que la plupart des autres produits de la catégorie « très âgée » ou de « qualité supérieure ». Sa maturation supplémentaire et l'empreinte du parfum vanillé du chêne éloignent de plus en plus cette tequila de l'esprit de l'agave, mais force est de constater qu'elle a obtenu un franc succès auprès des amateurs cherchant un alcool chaud et complexe, empli de la saveur fruitée de l'agave. À apprécier dans un verre ballon.

*De gauche à droite : Centinela Blanco, Centinela Reposado, Centinela Añejo et Centinela Tres Años.*

# CHINACO

## LA COMPAGNIE ET SON HISTOIRE

Produite par la distillerie La Gonzaleña, la marque Chinaco a un riche passé et est remarquable à plus d'un titre. Mais avant de dévoiler l'histoire fascinante qui se cache derrière cette marque, et puisque cet ouvrage est le guide de la tequila, précisons d'abord que les tequilas Chinaco sont parmi les meilleures et les plus intéressantes du marché américain.

La marque Chinaco et La Gonzaleña, l'une des deux seules distilleries qui se trouvent et fonctionnent hors de l'État de Jalisco, affichent un passé haut en couleur, enraciné dans l'histoire du Mexique. Les Chinacos étaient un groupe de riches propriétaires qui se joignirent à leurs ouvriers pour embrasser la cause mexicaine pendant la guerre de Trois Ans dans les années 1850, puis durant l'invasion française, en 1863. Connus pour leur bravoure autant que pour leur élégance, ils avaient pour chef un hidalgo du nom de Manuel Gonzalez. Après les conflits, désormais promu au rang de général, Gonzalez revint dans la région où il était né, l'État de Tamaulipas, au nord du pays. Il entreprit alors d'acheter d'immenses terrains, de Tamaulipas à la ville de Mexico, ce qui lui permit d'établir de précieux contacts au ministère de l'Agriculture.

Gonzalez fut élu président du Mexique en 1880 et resta au pouvoir pendant quatre ans, réalisant de grandes tâches. Il fit installer l'électricité à Mexico et, sous son égide, fut fondée la première banque mexicaine, Banco Nacional de Mexico. On le surnomma « Père du chemin de fer », car la capacité du réseau ferré national doubla durant son mandat. Ensuite, Gonzalez fut élu gouverneur de Guanajuato et, à sa mort, il fut acclamé par tout le pays comme un grand héros mexicain.

Le général Manuel Gonzalez eut un petit-fils, Guillermo Gonzalez, qui débuta comme avocat à Mexico, puis s'occupa de la terre qu'il avait hérité de son arrière-grand-père, à Tamaulipas ; enfin, il fut nommé à la tête du ministère de l'Agriculture. En 1965, honorant son mandat gouvernemental, Guillermo partit à Tamaulipas pour constater les dégâts causés par l'ouragan Beulah. Il découvrit que la seule végétation qui avait résisté se résumait à quelques plants d'agave sauvage.

Enthousiasmé par ce constat, Guilermo contacta l'un des gros producteurs de tequila à Jalisco – qui avait installé des distilleries – afin de l'aider à transformer le site en distillerie de tequila.

Quand Guillermo voulut faire valider sa licence d'exploitation, il se heurta à une forte résistance de la part des compagnies de tequila, à Jalisco. Plusieurs grands producteurs menaient la fronde, se référant aux lois en vigueur, qui limitaient la production à Jalisco et aux États limitrophes. Dans la pure tradition chinaco de son arrière-grand-père, Guillermo monta au créneau. En 1976, il gagna la sympathie du nouveau président mexicain Lopez Portillo, qui accepta d'élargir le secteur légal de production de tequila aux onze municipalités de Tamaulipas.

Cette région supplémentaire fut officiellement recensée dans la *Norma*, fin 1977.

Bientôt, la *tequilera* La Gonzaleña produisit de petites quantités d'une tequila que Guillermo baptisa Chinaco, en mémoire des batailles menées par son aïeul et par lui-même, tout particulièrement son triomphe personnel sur les gros producteurs qui avaient vu en lui un concurrent indésirable. De par sa production limitée, la Chinaco ne fut jamais commercialisée au Mexique et sa distribution fut également restreinte. Elle était accessible à la haute société seulement, dans des clubs privés. Finalement, et pour la première fois, la Chinaco fut exportée aux États-Unis en 1983, où elle est littéralement devenue un objet de culte.

Les quatre fils de Guillermo ont racheté la distillerie en 1993 et respecté les normes fixées par leur père afin de ne produire que les tequilas les plus exceptionnelles. Auparavant, seules les tequilas vieillies, de marque Chicano, avaient été exportées sous la marque Chinaco. Le premier chargement de *blanco* produit par la nouvelle génération partit pour les États-Unis en 1994. Après maintes apparitions et disparitions sur le marché, un grand choix de tequilas Chinaco vraiment uniques est à présent disponible.

# LA PRODUCTION ET LES PRODUITS

Chaque plante fournit un produit marqué par l'endroit où elle a été cultivée. Le vin est sûrement l'exemple le plus commun pour illustrer ce principe. Les qualités gustatives des vins élaborés à partir des mêmes cépages, mais d'appellations différentes, sont variées. Il en est de même pour l'agave – cultivée dans les Basses-Terres de Jalisco ou dans la vallée de Tequila –, ses parfums contrastent avec celle des Hautes-Terres, ou Los Altos. Au nord de ces deux régions, Tamaulipas est un pays agricole doté d'un sol riche et sombre, qui fournit une tequila au goût bien particulier. Toutes les Chinaco sont caractérisées par la puissance de leur parfum agrémenté d'une forte touche rustique et terreuse.

Bien que je n'aie jamais visité la distillerie La Gonzaleña, un importateur de Chinaco aux États-Unis, Robert Denton, me toucha quelques mots sur ses dimensions modestes. Fonctionnel, cet établissement fut construit « à la va-vite » à la fin des années 1970, quand les structures n'avaient pas encore la capacité de traiter la totalité des agaves en culture. La maison Chinaco ne laisse aucune place à la fantaisie. Ne pouvant compter sur aucune industrie locale de tequila, tout le matériel fut acheminé par camion depuis Guadalajara. À La Gonzaleña, l'agave est cuite dans un petit autoclave plutôt que dans un *hornos*, et la distillation a lieu seulement dans deux alambics en cuivre.

Ceux-ci sont encore plus petits que ceux de l'établissement Tequila Tapatío, qui produit El Tesoro (voir pages 82 à 90). Bien que le matériel utilisé soit en grande partie moderne, le Chinaco est élaboré selon des méthodes traditionnelles, et uniquement avec des ingrédients naturels. « Terreuse », « fumée », « au goût authentique », sont les termes que les dégustateurs emploient le plus pour décrire la tequila Chinaco. Robert Denton explique qu'à La Gonzaleña, on mouille le sol en terre battue afin de maintenir l'humidité nécessaire aux plantes. Le résultat : une odeur de terre qui émane du sol et imprègne les fûts, altérant ainsi naturellement le goût de la tequila. La porosité des fûts favorise l'infusion de ce parfum terreux.

Dans la course effrénée à l'embouteillage le plus original, Chinaco est récemment passé des bouteilles fines et grandes, longtemps en vigueur, à de nouveaux flacons en verre soufflé.

De gauche à droite : Chinaco Añejo, Chinaco Reposado, Chinaco Blanco et une Chinaco Reposado dans le nouveau modèle en verre soufflé.

## CHINACO BLANCO

*Type* : 100 % agave bleue
*Âge* : **Blanco ;** pas de vieillissement

La tequila *blanco* de Chinaco a laissé de très fortes impressions dans ma mémoire gustative ; la majorité de ceux qui l'ont goûtée la trouvent très complexe pour une tequila qui n'est pas vieillie. « Végétale », « citronnée » et « presque fumée », tels sont les qualificatifs propres à la plus intéressante des tequilas *blanco*.

## CHINACO REPOSADO

*Type* : 100 % agave bleue

*Âge* : **Reposado ;** vieillie pendant huit mois

La *reposado* Chinaco est vieillie dans de petits fûts. Pour cette tequila, les dégustateurs ont noté son superbe bouquet et la puissance du parfum de l'agave, les qualifiant de « pimentés », « fumés » et « légèrement salés ». Elle accomplit la belle performance de préserver un goût d'agave citronné, mêlé aux effets du vieillissement en fûts de chêne.

## CHINACO AÑEJO

*Type* : 100 % agave bleue

*Âge* : **Añejo ;** vieillie pendant trois ou quatre ans

Dans la lignée des deux précédents produits Chinaco, l'*añejo* fut l'une des tequilas les plus exceptionnelles que le jury ait dégustées. Elle provoqua de nombreux commentaires sur sa « présence », due à sa très audacieuse personnalité, empreinte d'un abondant parfum d'agave. En voici un aperçu : « Un bouquet superbe, sa robe est bien plus sombre que les autres », « Pas si douce – juste un goût légèrement épicé de caramel ». C'est une tequila d'une telle complexité que je me fais fort de suggérer qu'elle ne soit *jamais* mélangée ; pour la déguster comme il se doit, elle devrait être consommée doucement, pure ou avec des glaçons. Ô volupté !

# DON JULIO

## LA COMPAGNIE ET SON HISTOIRE

Don Julio est en réalité le nom d'une marque de tequila qui est produite par la compagnie Tres Magueyes. La distillerie Tres Magueyes se trouve dans la ville d'Atotonlico el Alto, dans les Hautes Terres de Jalisco, tout près d'une autre distillerie respectable, Siete Legues, où l'on fabriquait la Patrón. Tres Mageyes est une compagnie de grand renom au Mexique où elle vend les deux marques Tres Magueyes et Don Julio. Seule cette dernière est actuellement exportée aux États-Unis. La compagnie met en bouteilles la *blanco* et la *reposado* de marque Tres Magueyes, mais elle ne produit à l'heure actuelle qu'une *blanco* et une *añejo* sous celle de Don Julio.

En 1942, Don Julio Gonzalez fonda la compagnie à l'âge de 17 ans. De même que bien des gens vivant autour de la ville de Tequila, il a travaillé quasiment toute sa vie dans le commerce de la tequila et y fait autorité. À présent, Don Julio Gonzalez contrôle toujours sa production, assisté des membres de sa famille.

Comme on le raconte dans la compagnie, Don Julio gardait pour ses amis et sa famille sa cuvée spéciale et privée ; cette Reserva de Don Julio (nom technique de la marque) fut distribuée sur le marché mexicain voici dix ans. Ce produit est disponible aux États-Unis depuis fin 1997, dans quelques rares magasins spécialisés. La récente alliance entre Tres Magueyes et la compagnie Rémy-Martin pour la diffusion et la distribution de la marque, devrait lui donner un superbe départ sur son nouveau marché.

## LA PRODUCTION ET LES PRODUITS

Encore récemment, Tres Mageyes était l'un des plus grands exportateurs de tequila en gros, commercialisée aux États-Unis sous diverses marques. Ces dernières années, la compagnie a préféré mettre l'accent sur la production des tequilas 100 % agave, dont la marque Don Julio. Son esprit autodidacte et son implication dans le marché de la tequila de première qualité ont optimisé son potentiel de réussite aux États-Unis. Avec le contrôle total de sa

*Don Julio a commercialisé deux produits : Don Julio Silver et Don Julio Añejo.*

production, Tres Magueyes devrait voir augmenter la demande pour ses produits. Outre son propre établissement, Tres Mageyes possède 1 700 acres de champs d'agave afin de s'assurer une réserve conséquente d'agave de qualité de Los Altos.

## DON JULIO SILVER

*Type* : 100 % agave bleue
*Âge* : ***Blanco*** ; pas de vieillissement

La Don Julio Silver est mise en bouteille aussitôt après distillation et n'est donc pas vieillie. Elle bénéficie des mêmes caractéristiques que les autres tequilas qui sont faites avec l'agave de Los Altos, plus sucrée. L'alcool posède un arôme « moelleux » d'agave vanillée avec une légère nuance végétale et épicée en même temps – comme s'il avait été vieilli en fût. Les dégustateurs ont apprécié cette tequila au bouquet attrayant, mais ils auraient aimé que sa robustesse « restât en bouche » afin de maintenir la forte impression initiale.

## DON JULIO AÑEJO

*Type* : 100 % agave bleue
*Âge* : **Añejo ;** vieillie pendant au moins un an

La Don Julio Añejo, une Don Julio Silver vieillie dans de petits fûts en chêne, est en fait le premier produit de l'entreprise commercialisé sous ce label, après bien des années de production sous la marque Tres Mujeres et d'autres encore. Il n'est pas vieilli longtemps et conserve donc la forte empreinte de l'agave ; l'influence du bois est discrète : elle lui ajoute du caractère et affirme sa personnalité. Les dégustateurs l'ont apprécié encore plus que la *silver* et ont noté au passage son goût caractéristique de moka, même de chocolat. Il va de soi que cette tequila est meilleure pure ou avec des glaçons.

# EL CONQUISTADOR

## LA COMPAGNIE ET SON HISTOIRE

Devant le nombre croissant des nouvelles marques commercialisées, El Conquistador est, de toutes celles présentes dans ce livre, l'une des tequilas de qualité supérieure les plus récentes du marché américain. Suivant la tendance au packaging innovant, cette marque a été importée aux États-Unis par une grande compagnie – Heaven Hill Distilleries of Kentucky.

Baptisée d'après Cortés et les conquistadores espagnols, qui introduisirent l'art de la distillation au Mexique, la marque El Conquistador est produite par une manufacture, l'Agroindustria Guadalajara, et a déjà été vendue au Mexique. L'histoire est un peu compliquée : la compagnie Heaven Hill a déjà distribué une tequila *mixto* bon marché – nommée aussi El Conquistador –, qui provenait d'une autre distillerie qui n'avait rien à voir avec Agroindustria Guadalajara. Or, cette dernière créa son nouveau produit de luxe et l'appela aussi El Conquistador. Plutôt que de la débaptiser, Agroindustria Guadalajara trouva un terrain d'entente avec Heaven Hill pour qu'elle importe et distribue sa tequila aux États-Unis.

Le siège de la compagnie Agroindustria Guadalajara est situé dans le village de Capilla de Guadalupe, dans les Hautes-Terres de l'État de Jalisco, à l'ouest de la ville d'Arandas. Dans cette région, qui fournit bien d'autres marques, le sol rouge et fertile donne les agaves les plus grosses et les plus mûres. Datant de moins de cinq ans, cette distillerie plutôt récente a déjà fabriqué beaucoup d'autres tequilas 100 % agave, disponibles principalement sur le marché mexicain.

## LA PRODUCTION ET LES PRODUITS

La tequila El Conquistador 100 % pure agave est clairement destinée au marché de luxe ; elle y tient sa place grâce à son packaging esthétique et d'aspect coûteux. Les trois tequilas sont présentées dans de grandes bouteilles élégantes en verre soufflé et chacune est unique.

*Les trois types de tequila El Conquistador :* blanco, reposado,
et añejo.

Puisque je n'ai pas visité sa distillerie, je n'ai aucun
renseignement direct sur la méthode de production et
me suis donc appuyé sur les informations livrées par la
compagnie. Des échantillons du produit (déjà
embouteillé) m'ont aussi été fournis. Pour parler franc,
cette société cultive son image avec beaucoup d'attention
et maîtrise parfaitement tout ce qui concerne la tequila.
Elle crée des produits d'un caractère et d'une qualité
exceptionnels.

## EL CONQUISTADOR BLANCO

*Type* : 100 % agave bleue
*Âge* : **Blanco** ; pas de vieillissement

Ce *blanco* d'El Conquistador est contenu dans une bouteille en verre soufflé bleu ; il est l'un des rares à « reposer » brièvement dans des fûts en chêne avant la mise en bouteilles. Cette opération n'est pas décelable, mais les dégustateurs ont effectivement relevé le fort parfum d'agave et comparé le bouquet et l'arôme à ceux des « fruits secs » ; d'autres ont noté sa teneur élevée en alcool en premier.

## EL CONQUISTADOR REPOSADO

*Type* : 100 % agave bleue
*Âge* : **Reposado** ; vieillie pendant sept mois

La *reposado* d'El Conquistador est vieillie pendant sept mois au minimum, bien plus longtemps que le minimum légal de deux mois. La tequila en profite pour acquérir quelques nuances de vanille et un fini plus moelleux que la *blanco*, même si elle garde ce côté fruité que nous avons décrit plus haut. Pour cette *reposado* bien équilibrée, le vieillissement en fût a ôté efficacement l'âpreté de la *blanco* et obtenu un compromis de qualité entre les subtiles saveurs citronnées et l'arôme vanillé.

## EL CONQUISTADOR AÑEJO

*Type* : 100 % agave bleue
*Âge* : **Añejo** ; vieillie pendant 18 mois

Aux dires de la compagnie, l'*añejo* d'El Conquistador est vieillie dans des fûts de chêne qui viennent de France, et non des États-Unis, comme c'est souvent le cas. Le but est d'apporter à la tequila un goût encore plus exceptionnel. Elle bénéficie ainsi d'un bouquet plutôt riche, aromatique et végétal, agrémenté d'un arôme bien équilibré d'agave et d'épice et « s'attarde en bouche sur une note légèrement sucrée », d'après l'équipe de dégustation. C'est vraiment une tequila à déguster dans un verre ballon.

# EL JIMADOR (voir Herradura, page 102)

# EL TESORO DE DON FELIPE

## LA COMPAGNIE ET SON HISTOIRE

Bien que beaucoup de compagnies se plaisent à qualifier leur produits « d'artisanaux », l'utilisation de ce terme est souvent exagérée. Dans le cas d'El Tesoro, c'est tout simplement la vérité. Elle est élaborée par la compagnie Tequila Tapatío dans la distillerie La Alteña où presque tout est fait à la main. Visiter Tequila Tapatío, c'est voir un musée consacré à la production de tequila, où la plupart des méthodes traditionnelles sont encore utilisées quotidiennement. Ici, pas de recours à quelque artifice que ce soit, ces tequilas fabriquées artisanalement sont bien parmi les meilleures, d'où qu'elles viennent. El Tesoro signifie à juste titre « le trésor ».

Située dans les Hautes-Terres de l'État de Jalisco, dans la région nommée Los Altos, La Alteña fut construite dans la ville d'Arandas en 1937, par Felipe Camarena Hernandez. Il fonda alors la compagnie et construisit sa distillerie. Plus tard, il transmit l'entreprise à son fils, Felipe J. C. Camarena Curiel, l'actuel directeur de Tequila Tapatío.

Tequila Tapatío produit en ce moment de la tequila sous deux marques différentes : El Tesoro de Don Felipe, baptisée d'après son fondateur, et Tapatío, du nom de la compagnie. La marque Tapatío constitue un peu plus de la moitié de la production actuelle, distribuée exclusivement au Mexique. El Tesoro, qui représente le reste de la production au Mexique, se trouve aussi exportée sur un petit nombre de marchés, les États-Unis en étant de loin le pays importateur le plus important. Son marché le plus récent, et qui progresse le plus, est celui du Japon, où les consommateurs semblent prêts à payer pour avoir le meilleur de tout et de n'importe quoi. Il n'y a pas de raison de croire que la tequila échappe à cette règle.

Même si l'établissement, ou *fabrica,* est en grande expansion, Carlos Camarena, le fils de Felipe chargé de la production, insiste encore sur le fait que la compagnie continuera à produire ses tequilas El Tesoro avec les méthodes artisanales et l'équipement traditionnel. Les nouveaux locaux seront d'abord utilisés pour la Tapatío et peut-être aussi pour une nouvelle marque, qui n'a pas encore été créée. Beaucoup de techniques traditionnelles seront conservées, telle la cuisson de l'agave dans des fours en brique et en pierre, ou encore l'usage de la *tahona* ; par ailleurs, cinq nouveaux fours ont été ajoutés aux deux déjà existants. Bien qu'il y ait un projet de construction d'une autre *tahona,* un pressoir plus moderne a été installé et sera utilisé afin d'extraire le jus des agaves cuites, pour les marques récentes.

## LA PRODUCTION ET LES PRODUITS

Toute l'agave destinée à El Tesoro est « cultivée à la propriété », dans les champs de Tapatío, et récoltée par ses propres *jimadores.* Une surveillance attentive assure que seules les plantes les plus mûres iront aux fours. Après que les *piñas* ont été déchargées dans le patio de réception, elles sont chargées dans les fours en brique où elles sont cuites à la vapeur pendant 24 heures ; elles refroidissent et reposent pendant 24 heures encore. Durant ma visite à la distillerie, je suis entré dans les fours de Tapatío et j'ai vu les huit évents d'où la vapeur ressort, en bas et en haut du four.

Les *piñas* cuites sont sorties des fours avec des brouettes, à l'aide d'une planche, puis entassées dans une fosse circulaire et pavée, où la *tahona* écrase l'agave. À ma connaissance, Tapatío est la seule compagnie à employer encore cet outil. La *tahona* est une gigantesque meule en pierre d'une tonne environ, reliée à un axe vertical central qui sert de pivot. Une petite concession à la modernisation : la *tahona* est entraînée par un tracteur et non plus par une mule ou un bœuf. Pendant que la *tahona* écrase l'agave pour en extraire le jus, « l'eau de miel », un homme appelé *tahonero* se tient au centre de la fosse et remue avec une fourche les fibres en s'assurant que toute l'agave est écrasée, afin d'en tirer le maximum de jus. Ensuite, les ouvriers transvasent le jus et les fibres écrasées dans de petits seaux en bois, puis les transportent sur la tête jusqu'aux citernes de fermentation. Avec tout son charme et ses traditions, cette technique n'a été vue dans aucune autre distillerie, et l'on m'a confirmé qu'il n'en était ainsi qu'à Tequila Tapatío. L'une des différences les plus marquantes entre les méthodes de Tapatío et les autres producteurs : Tapatío est la seule distillerie (du moins à ma

La tahona de *Tequila Tapatío* est, à ma connaissance, la seule encore utilisée. Une roue en pierre d'une tonne tourne dans la fosse en écrasant l'agave, tandis que le tahonero remue les fibres.

Un ouvrier transporte sur la tête un seau contenant le jus de l'agave écrasée et les fibres vers les fûts de fermentation.

**Ici, rien de superflu.** *Les ouvriers attendent le produit final à l'issue de la seconde distillation.*

connaissance) à fermenter le produit sans en extraire les fibres, après la pression de l'agave. Les fibres sont conservées non seulement pendant la fermentation, mais aussi lors de la première distillation. Elles renforceraient l'arôme de l'agave dans le *mosto* et dans le produit final. Il est intéressant de noter que les cognacs de qualité sont produits selon de nombreuses méthodes suivies à Tequila Tapatío.

La Tapatío fermente dans de petites cuves en bois de 3 000 litres, plutôt que dans les larges citernes en acier inoxydable, qui peuvent contenir jusqu'à 65 000 litres. Voici la partie la plus surprenante du procédé de Tapatío : j'ai vu un homme se tenir dans la cuve quand les autres ouvriers versent le jus et les fibres d'agave sortis de la *tahona*. Cet homme, le *corralero*, vérifie que les fibres sont bien écrasées et que les levures ajoutées sont bien mélangées et réparties dans toute la citerne, pour obtenir une préparation homogène. Aucun additif chimique n'est utilisé pour accélérer la fermentation à Tapatío ; seules servent des levures naturelles – cultivées à la distillerie. À ce stade des opérations, la teneur en levure et en sucre est mesurée. Un bac de levure d'origine est conservé si la fermentation en nécessite davantage. Elle peut durer jusqu'à cinq jours suivant le temps qu'il fait, avant que le *mosto* ne soit prêt pour la distillation.

*Un ouvrier extrait d'un fût un échantillon de tequila en cours de vieillissement, dans la cave d'une distillerie. Les couvercles des barils sont estampilllés Jack Daniels, Kentucky Bourbon, d'où proviennent ces fûts usagés.*

Tapatío, compte actuellement 38 citernes de fermentation de 3 000 litres. Mais, à cause des fibres, il n'y a que 2 000 litres de jus d'agave par conteneur.

Durant le processus de fermentation, la levure absorbe tous les sucres et produit de l'alcool et du dioxyde de carbone. Au terme de l'opération, qui coïncide avec le début de la montée en alcool, le produit titrera 5°.

À Tapatío, la distillation s'effectue dans deux petits alambics ronds en cuivre. La première distillation, l'*ordinario*, qui titre de 18° à 20°, n'est pas encore de la tequila. La seconde est contrôlée très attentivement afin de monter le produit à 41° pour la *reposado* et l'*añejo*. Par la suite, le vieillissement de l'alcool le ramènera naturellement à 40°. Pour la *blanco*, le produit sera distillé à 40° précisément, puisqu'il ne sera pas dilué naturellement ou par ajout d'eau avant l'embouteillage.

Tapatío met en cave toutes ses tequilas dans des locaux souterrains situés sous la distillerie. Les plans de ces caves sont de Don Felipe Camarena : elles sont à l'image des fameuses caves de Cognac, en France. Elles se trouvent à une grande profondeur ; leurs murs sont en pierres, les plafonds voûtés en briques. L'environnement est idéal pour le vieillissement des alcools, avec sa température fraîche et son taux d'humidité adéquat. Différents types de fûts ayant contenu du bourbon sont utilisés et donneront des tequilas variées, aux caractéristiques propres.

En plus des quatre tequilas El Tesoro mentionnées ci-après, Tapatío produit deux tequilas sous son propre nom et disponibles seulement au Mexique : la Tapatío Reposado, vieillie pendant trois ou quatre mois, et la Tapatío Añejo, qui passe un an en fûts de chêne ; toutes deux sont aussi exceptionnelles que les tequilas El Tesoro, bien que leurs personnalités soient moins marquées.

## EL TESORO DE DON FELIPE SILVER

*Type* : 100 % agave bleue

*Âge* : ***Blanco*** ; pas de vieillissement

Sans être vieillie, El Tesoro Silver est mise en bouteilles telle quelle, aussitôt après la seconde distillation, au sortir de la cuve de l'alambic et après un bref repos dans une grande citerne en acier inoxydable. Le mot *silver* remplace juste le terme *blanco*, blanc ; c'est un qualificatif souvent usité pour les jeunes tequilas. À l'évidence, tout a été fait pour obtenir un produit encore plus pur et plus authentique : l'arôme de l'agave s'exhale du verre avant même que l'on ai goûté. C'est la *blanco* qui possède le bouquet le plus riche et le plus fleuri en agave de toutes celles qui ont été dégustées. Cette tequila jeune et claire présente de grandes qualités végétales, avec même un soupçon de menthe, mais aussi une légère nuance épicée. Ce dernier trait provient directement de l'agave et diffère du parfum que les tequilas (ou tout autre alcool vieilli) développent au contact du bois. L'équipe de dégustation a été fortement impressionnée et a noté son côté « authentique » ; l'un des membres « se voyait au Mexique » en la savourant. D'autres discutèrent sur son équilibre, sa complexité et sa douceur – qualités exceptionnelles pour une jeune tequila.

## EL TESORO DE DON FELIPE REPOSADO

*Type* : 100 % agave bleue
*Âge* : **Reposado** ; vieillie pendant neuf mois

Cette tequila est dans la gamme des produits El Tesoro depuis peu : la forte demande de El Tesoro Añejo ne pouvait pas être honorée à temps, son vieillissement étant très long. Un certain engouement s'est créé pour tous les *reposados* et notre exemple appartient déjà à la catégorie de qualité supérieure. El Tesoro Reposado est vieillie pendant neuf mois dans des fûts en chêne blanc tout neufs. Ce bois procure à la tequila une charpente naturelle et une robe toutes deux formidables ; il agit comme un oxyde en la radoucissant. Le bouquet, robuste, révèle de subtiles nuances de chêne et de vanille et bénéficie entièrement du goût épicé et fleuri de la tequila *silver*, son produit d'origine. Elle est rendue plus moelleuse par la douceur du vieillissement en fûts. La plupart des membres de notre équipe de dégustation goûtaient cette tequila pour la première fois et leur avis fut unanimement enthousiaste. Bien des *reposados* constituent un choix excellent pour les margaritas, mais j'aurais tendance à considérer celle-ci comme une grande tequila à boire en savourant tous ses arômes.

## EL TESORO DE DON FELIPE AÑEJO

*Type* : 100 % agave bleue
*Âge* : **Añejo** ; vieillie pendant trois à quatre ans.

Tout aussi exceptionnelle que la *blanco* et la *reposado*, El Tesoro Añejo sort vraiment du lot. La tequila est vieillie pendant deux à trois ans, la période variant selon les qualités des fûts utilisés. Dans ce cas, les mêmes barils de bourbon ont servi à vieillir les *reposados*.

Le vieillissement en fûts donne un produit d'une extrême richesse jusqu'à trois ans. L'*añejo* est sensiblement plus sombre que la *reposado* ; elle se distingue par sa finesse et son goût de menthe, dans l'équilibre très réussi – comme le *silver* – entre la nuance vanillée du chêne et le côté fruité de l'agave. Comparez cette tequila avec une autre *añejo* et vous verrez combien l'agave sucrée de Los Altos possède un arôme puissant, tout particulièrement quand elle est combiné à la saveur vanillée du chêne. Tous les dégustateurs ont relevé l'harmonie entre l'arôme de cet *añejo* et son goût. C'est l'une des plus exceptionnelles tequilas à déguster !

## EL TESORO PARADISO

*Type* : 100 % agave bleue
*Âge* : **Añejo ;** vieillie pendant plus de trois ans

Ce produit de luxe est tout nouveau et devrait arriver sur le marché à peu près à la même époque que celle de ce livre. J'ai eu la chance de goûter à ce Paradiso quand j'étais au Mexique au moment des dernières transactions sur la mise en bouteilles, l'étiquetage et l'exportation.

Cette tequila est d'un concept très innovant, même pour la nouvelle catégorie que j'appelle « super *añejo* ». Les producteurs d'El Tesoro se sont joints au célèbre

*La gamme des produits El Tesoro : El Tesoro Silver, El Tesoro Reposado, El Tesoro Añejo, et la toute nouvelle El Tesoro Paradiso.*

fabricant de cognac, Alain Royer de A. de Fussigny, pour créer ensemble diverses tequilas *añejo* et *silver*. L'alcool est tout d'abord vieilli dans de vieux barils de bourbon, puis dans des fûts en chêne importés de France après avoir servi à vieillir du cognac. Le résultat est une tequila hors de toute référence. Malgré son long vieillissement, son bouquet possède cette unique saveur végétale de la tequila, qui se mêle parfaitement à l'arôme sucré apporté par le fût de cognac ; tous ces parfums s'articulent autour de la personnalité de l'agave si présente dans toutes les tequilas El Tesoro.

# GRAN CENTENARIO

## LA COMPAGNIE ET SON HISTOIRE

La marque Gran Centenario appartient à Jose Cuervo, mais elle est produite, commercialisée et distribuée séparément par Jose Cuervo. Pour répondre à la demande croissante en tequilas de qualité supérieure, Cuervo créa la nouvelle marque de tequila Gran Centenario – 100 % agave bleue – et arrêta au même moment de produire sa marque Dos Reales, très populaire chez les consommateurs de tequilas.

Gran Centenario est produit dans la région de Los Altos, dans la ville de Zapotlañejo. Les tequilas sont élaborées à partir d'agaves sélectionnées à la distillerie de Casa Cuervo, connue sous le nom de Los Camichines ; elle est renommée pour son sol riche, volcanique et doté d'une irrigation naturelle.

Los Camichines fut fondé en 1857 par Lazaro Gallardo, inventeur de la *selección suave*, procédé par lequel seules les tequilas reconnues pour leur douceur et leur qualité sont mélangées dans un fût en chêne avant de reposer.

Très populaires au Mexique par le passé, les tequilas Gran Centenario sont désormais présentes aux États-Unis sous leur présentation actuelle depuis 1996. Les amateurs de tequilas de la première heure constateront que la bouteille Gran Centenario ressemble étonnamment à celle de la marque qui l'a précédée, Dos Reales, et qui fut abandonnée.

# LA PRODUCTION ET LES PRODUITS

Comparées à leurs semblables de Jose Cuervo, les tequilas Gran Centenario sont produites en quantités relativement restreintes. Elles partagent les qualités des tequilas de petite production, car elles sont élaborées suivant de nombreuses méthodes anciennes. L'agave bleue en pleine maturité est cuite dans des fours en pierre, son jus fermenté naturellement et la distillation n'est réalisée qu'avec de petits volumes. Surtout, son packaging est plus traditionnel et se distingue des autres variétés de flacons aux formes et aux couleurs diverses qui envahissent le marché. La stratégie commerciale de la marque repose sur une allure élégante et particulière, en rapport avec la qualité et le prix du produit.

## GRAN CENTENARIO PLATA

Type : 100 % agave bleue
Âge : **Blanco** ; très peu vieillie

C'est l'une des rares tequilas *blanco* à être à peine vieillies en fût de bois avant l'embouteillage. La tequila repose dans des barils en chêne blanc neufs, tout spécialement créés pour l'occasion, juste assez de temps pour « l'émousser ». Le bois favorise la maturation et confère un parfum et un arôme très subtils, tout en donnant une robe légèrement jaunâtre. Cependant, c'est vraiment une tequila corsée.

## GRAN CENTENARIO REPOSADO

Type : 100 % agave bleue
Âge : **Reposado** ; vieillie pendant au mois six mois

Cette *reposado* est vieillie pendant au moins six mois dans de petits barils en chêne – du même type que ceux employés pour l'*añejo*. Le parfum du fût dans lequel le whisky américain a reposé est typique : la tequila revêt un léger arôme de caramel dur qui reste en bouche.

## GRAN CENTENARIO AÑEJO

*Type* : 100 % agave bleue
*Âge* : **Añejo** ; vieillie pendant au moins un an

Dernière-née, la tequila *añejo* Gran Centenario est bien travaillée et bien équilibrée. Gran Centenario a choisi de la présenter dans une nouvelle bouteille qui la démarque des autres produits. Vieillie pendant au moins un an à un an et demi, dans de petits barils en chêne blanc brûlé, elle acquiert sa maturité, son velouté et son corps, avec cette trace fumée des whiskies pur malt, typique des meilleures tequilas *añejo*.

## AGAVERO

*Type* : 100 % agave bleue
*Âge* : sans objet

Cette liqueur unique 100 % agave bleue est l'un des nouveaux produits qui semblent donner un coup de fouet à la popularité grandissante de la tequila. Un amateur exigeant peut considérer l'Agavero plutôt douce ; elle possède pourtant une bonne charpente au parfum d'agave et une grande histoire. Sa recette vient de Lazaro Gallardo lui-même. Tout commence avec les fûts de réserve des tequilas *añejo* et *reposado* vieillies

*De gauche à droite : Gran Centenario Plata, Gran Centenario Reposado, Gran Centenario Añejo et Agavero.*

séparément : presque un an pour la *reposado* et pas moins de deux ans pour l'*añejo*. Les tequilas sont mélangées avec l'ingrédient soit-disant secret de l'Agavero, un « thé » élaboré à partir de la fleur damiana. Cette plante, originaire des montagnes de l'État de Jalisco, était utilisée à l'époque de Gallardo en tant que tonifiant naturel (certains disent que c'est aussi un aphrodisiaque). Elle confère à l'Agavero un goût étonnamment riche, avec une nuance terreuse.

# HERRADURA

## LA COMPAGNIE ET SON HISTOIRE

Herradura est le plus grand et le plus célèbre de tous les producteurs de tequilas de qualité supérieure à 100 % agave bleue. Tequila Herradura fut fondée en 1870 par Feliciano Romo et appartient toujours à sa famille. On raconte que Feliciano cherchait un site pour construire une nouvelle distillerie, quand il vit briller un éclat métallique : c'était un fer à cheval. D'où le nom de la marque, *herradura*, qui signifie fer à cheval en espagnol et qui est le symbole de la chance.

La compagnie fut longtemps tenue par sa fameuse propriétaire, Gabriela de la Peña Rosales Romo, jusqu'à sa mort en 1994. La société a été reprise par ses deux fils et ses deux filles. Guillermo Romo en est le directeur général et reste une personnalité très en vue, car il devient actuellement une figure incontournable dans le monde de la tequila au Mexique.

Herradura fut exportée pour la première fois aux États-Unis dans les années 1940, après sa découverte par Bing Crosby et Phil Harris, qui se chargèrent de son exportation en Amérique.

Herradura est situé dans la vallée d'Amatitán, à mi-chemin entre Guadalajara, à l'est, et Tequila, à une dizaine de kilomètres au nord-ouest. La firme fut construite autour de l'hacienda traditionnelle de la famille Romo, dont les pièces donnent sur la cour intérieure et le jardin. Accolée à la maison-même, l'incontournable chapelle (toutes les haciendas se doivent d'en avoir une) abrite les cendres de Gabriela. Il n'est pas rare que l'un des 900 employés y fasse une halte pour sa prière quotidienne ou rende hommage à la matriarche. Herradura possède un riche passé et les ouvriers semblent tous être loyaux et fiers d'y travailler. En visitant la société, j'ai rencontré la cuisinière de la famille, Doña Paula, qui a préparé les repas des Romo pendant 46 ans ! L'usine est impeccable, et partout les ouvriers entretiennent soigneusement les bâtiments. Le domaine est entouré de hautes barrières et de portails surveillés par des gardes de sécurité. Ce niveau de protection est nécessaire, vu la richesse de la famille Romo. Tous les membres, bien connus pour leur franc-parler en ce qui concerne l'industrie de la tequila, s'opposent souvent aux plus grands producteurs sur des sujets comme la production et les problèmes économiques.

Le nom complet de l'hacienda, « Hacienda San Jose del Refugio », vient de la Guerra Christea (1922-1926), quand le gouvernement mexicain était en guerre contre des légions de pauvres catholiques, tout particulièrement les Mexicains fermiers, ou *campesinos*. Durant ce conflit, beaucoup de catholiques trouvèrent refuge à l'hacienda, où il leur fut permis de se cacher.

Le prestige de la demeure reflète le passé riche et complexe des Romo et symbolise le statut social et aristocratique de la famille. La bibliothèque, dans la partie adjacente à l'hacienda, est le deuxième plus important fonds privé de l'État de Jalisco, avec 23 500 volumes. Une collection de selles, dont beaucoup appartenaient à l'ancien président Benito Juarez, est également exposée.

La popularité croissante de la marque Herradura a poussé la compagnie à agrandir ses bâtiments. Un troisième édifice fut inauguré en 1993 et la construction d'un quatrième est presque achevée, ce qui augmentera la capacité de production de 80 %. Le premier et le plus ancien a été converti en musée de la Tequila, qui présente tous les équipements et outils d'origine. Les deux autres bâtisses (et bientôt la quatrième) abritent les structures qui fonctionnent à plein régime.

Les installations de la compagnie et sa méthode de production sont à l'image d'un petit domaine européen. Herradura cultive la totalité de son agave, fermente, distille, vieillit et met en bouteilles toutes ses tequilas. Herradura, producteur de tequila artisanale : c'est une définition qui lui convient parfaitement. Lors de sa fabrication, aucun sucre, colorant ou parfum n'est ajouté et seules des levures naturelles interviennent dans la fermentation.

Herradura a le privilège d'appartenir au groupe des producteurs qui élaborent leur tequila avec le fruit de leur propre récolte. Cela signifie que la compagnie possède toutes ses agaves et peut compter sur plus de 500 *jimadores* pour superviser la récolte. Ainsi, Herradura bénéficie des meilleures décisions relatives au ramassage qui est effectué au moment précis où l'agave est à pleine maturité, afin d'optimiser la concentration d'arômes dans la tequila. À ma connaissance, c'est le seul alcool que le BATF autorise à mentionner sur son étiquette « mis en bouteilles à la propriété » :

*La chapelle de San Jose del Refugio, de Herradura, où les employés de la compagnie prient et rendent hommage aux cendres de la matriarche, Gabriela.*

*À la fin de la semaine, les Romo se réunissent à l'hacienda, où la cuisinière prépare les repas depuis presque 50 ans.*

## LA PRODUCTION ET LES PRODUITS

La position constante de Gabriela concernant la culture des agaves a été qualifiée de « néoclassique », terme qui sous-entend que, à mesure que la fabrication de la tequila évoluait, elle a assimilé les changements de manière traditionnelle mais progressive. Guillermo a poursuivi dans la même voie et fabrique dans la plus pure tradition familiale une tequila de grande qualité, sans concession. Malgré sa croissance impressionnante et l'apport des technologies nouvelles dans la production de Herradura, les étapes cruciales sont abordées de manière traditionnelle, préservant ainsi le degré d'authenticité du produit. Herradura cuit encore son agave dans ses dix fours en brique et ne rajoute aucune levure chimique pendant la fermentation qui se déroule dans de grandes citernes en acier inoxydable. Des arbres de Lima, groupés dans divers endroits autour de la distillerie, aident à conserver dans l'air ambiant les levures qui sont capturées et utilisées pour cette fermentation. Après la distillation, le vieillissement des tequilas Herradura a lieu dans les *bodegas*, à l'intérieur de la propriété.

*Tout ce qui touche à la production de la tequila a lieu à l'intérieur du domaine, y compris l'entretien et la réparation des fûts en chêne utilisés pour le vieillissement.*

## HERRADURA SILVER

*Type* : 100 % agave bleue

*Âge* : **Blanco** ; vieillie pendant 40 jours

La plupart des tequilas *silver* ou blanches ne sont pas vieillies. Cependant, la Herradura Silver est une exception rare, car elle peut reposer dans un baril en bois pendant 40 jours avant d'être mise en bouteilles. Sa robe y prend une légère teinte jaunâtre, mais cette tequila reste sans aucun doute un produit vraiment pur. Le vieillissement émousse et adoucit juste le produit. Les dégustateurs lui ont trouvé un nez agréable, rendu plus pénétrant par son passage en fût, qui laisse sur le palais une légère saveur de bois plutôt épicée que fumée. Ce parfum complète la touche « citronnée » qui résulte du bref vieillissement au contact du bois. Tous ces attributs rendent la tequila incroyablement souple. Qu'elle soit dégustée pure ou

*Toute l'agave utilisée pour les produits Herradura est cultivée par les jimadores de la compagnie. Les fermiers n'étant pas payés au poids, ils élaguent les feuilles, ou pincas, le mieux possible pour éviter toute amertume.*

mélangée avec des ingrédients de premier ordre dans une margarita, ses meilleures qualités apparaîtront aussitôt.

Herradura met aussi en bouteilles un produit (qui n'est pas décrit davantage) appelé Herradura Blanco, réservé au Mexique. Alors que *blanco* et *silver* sont généralement deux synonymes désignant les tequilas blanches ou jeunes, elles se réfèrent à deux produits distincts de la maison Herradura. Sa *blanco* mexicaine n'est pas identique à la *silver* américaine, car la première n'est pas vieillie et son embouteillage se fait à 46°, soit bien plus que les normes américaines de 40°. À l'évidence, la compagnie pense que les amateurs de tequila mexicaine peuvent mieux supporter un alcool

plus âpre et plus fort, que leurs voisins du Nord. La
Herradura Blanco Suave, pour d'autres raisons plus
compliquées, est aussi commercialisée uniquement au
Mexique ; elle titre 40° et peut se comparer à la
Herradura Silver américaine.

Dans tous les cas, cette dernière, telle qu'elle est vendue
aux États-Unis, reste l'une de mes tequilas favorites, pure
ou avec des glaçons ; par la générosité de son corps
et de son arôme, elle peut contribuer à l'élaboration de
margaritas de première qualité, au parfum exceptionnel.

## HERRADURA GOLD (REPOSADO)

*Type* : 100 % agave bleue
*Âge* : ***Reposado*** ; vieillie pendant plus d'un an

En baptisant leur *reposado* « Gold », la maison
Herradura a rendu les choses un peu confuses. Jusqu'à
présent, l'emploi du terme *gold* est attribué aux tequilas
*joven abocado*, type même du produit de gros, mélangé,
avec du jus d'agave à seulement 51 %, coloré au caramel
pour simuler les marques du vieillissement. Mais chez
Herradura, rien n'est feint ou artificiel. Dans le style de
la maison, cette *reposado* est vieillie bien plus que les
deux mois requis. Cette tequila reposerait pendant plus
de 13 mois, ce qui, en réalité, la ferait passer dans la
catégorie des *añejos*. Je ne serais pas surpris que
Herradura enlève la mention *gold* dans un futur proche,
car les consommateurs savent de mieux en mieux faire
la distinction entre les différentes catégories de produits.

Quel que soit le nom qu'elle recevra, cette boisson a
une personnalité à part, avec la présence généreuse de
l'agave et ce parfum de bois infusé propre aux tequilas
Herradura. Cette *reposado*, riche et pleine d'arômes, est
entière du début à la fin – un dégustateur l'a qualifiée
de « *reposado* à l'extrême ». L'équipe de dégustation a
relevé son caractère boisé, mais l'a trouvé assez discret
pour le considérer doux et particulièrement plaisant. Il
n'a pas masqué le puissant arôme de l'agave ni les «
parfums d'amande », ressentis par certains.

*Herradura est le plus gros producteur de tequila 100 % agave bleue ; il met lui-même ses produits en bouteilles avant de les expédier dans le monde entier.*

## HERRADURA AÑEJO

*Type* : 100 % agave bleue
*Âge* : **Añejo** ; vieillie pendant deux à trois ans

En règle générale, Herradura vieillit ses produits bien plus que le minimum requis. Leur *añejo* ne fait pas exception, car elle repose pendant deux à trois ans, soit plus de deux fois l'année préconisée. L'effet de ce long vieillissement est perceptible dans cette tequila riche, bien charpentée, sans prédominer pour autant. Cette *añejo* a impressionné la plupart des dégustateurs par ses arômes profonds et envoûtants, mais certains lui ont préféré la *reposado*, mieux équilibrée. Alors que cette dernière, plus souple, peut être bue pure, avec des glaçons, ou en cocktail, l'*añejo* serait plus appréciée dans un verre ballon.

## HERRADURA SELECCIÓN SUPREMA

*Type* : 100 % agave bleue
*Âge* : **Añejo** ; vieillie pendant deux à trois ans

Selección Suprema est la « tequila suprême » de la maison Herradura ; c'est en effet la plus chère, avec un prix de vente d'environ 1 780 francs, du moins jusqu'à la sortie de la « Barrique » de Porfidio. Avec ses deux ou trois ans de vieillissement dans des fûts de chêne blanc, c'est un produit de luxe à déguster uniquement pur.

*Actuellement, Herradura exporte aux États-Unis les Herradura Silver, Herradura Gold, Herradura Añejo et Herradura Selección Suprema.*

*L'Herradura Selección Suprema est le pendant du cognac ; c'est l'une des tequilas les plus chères.*

À partir de quatre ans d'âge, cet alcool se compare davantage à un whisky pur malt épanoui qu'aux tequilas habituelles. Contrairement aux bouteilles carrées ou rondes en vigueur au Mexique, Herradura commercialise la Selección Suprema dans un lourd flacon qui ressemble à une carafe de décantation, avec un bouchon en verre et l'étiquette dorée en relief. Les bouteilles sont emballées dans des boîtes artisanales en écorce d'amate, arbre qui donna son nom à Amatitán, la ville de Herradura.

Tout comme les autres produits Herradura dont nous avons parlé, le caractère spécifique du bois se retrouve dans la Selección Suprema. Avec son profil marqué par des arômes presque sucrés, cette tequila à la robe sombre et au goût de beurre accompagnera merveilleusement le dessert – d'après moi elle pourra même le remplacer.

*Disponibles désormais sur le marché à l'exportation :*
*El Jimador Reposado et El Jimador Blanco.*

# EL JIMADOR

## LA COMPAGNIE ET SON HISTOIRE

Baptisée d'après le nom des fermiers qui récoltent l'agave, El Jimador est la seconde marque de la compagnie

Herradura. Les informations générales sont donc les mêmes que précédemment, puisque El Jimador n'est rien d'autre qu'un nom de marque. Toutes les méthodes de production sont identiques, y compris l'utilisation des agaves du domaine, toutes bleues à 100 %, la cuisson de la plante dans les fours en brique et l'utilisation de levures naturelles lors de la fermentation.

Récemment encore, El Jimador n'était commercialisée qu'au Mexique, quand Herradura était disponible à l'exportation. La popularité de la tequila augmentant dans le monde entier, la compagnie Herradura décida d'exporter El Jimador, la présentant comme une marque de qualité. Actuellement, deux produits El Jimador sont disponibles.

## EL JIMADOR BLANCO

*Type* : 100 % agave bleue
*Âge* : **Blanco** ; pas de vieillissement

Contrairement à la Herradura Silver, El Jimador Blanco est mise en bouteilles sans avoir été vieillie. Malgré leurs âges très proches à l'embouteillage, les dégustateurs ont préféré la Herradura Silver à El Jimador Blanco, sensiblement moins équilibrée et au profil alcoolisé plus prononcé.

## EL JIMADOR REPOSADO

*Type* : 100 % agave bleue
*Âge* : **Reposado** ; vieillie pendant trois à quatre mois

On ne peut comparer la *reposado* d'El Jimador à aucun des autres produits Herradura, puisqu'elle n'est vieillie que pendant quatre mois. Bien que cette période dépasse les deux mois au minimum, elle est plus courte que pour la *reposado* de Herradura, qui repose dans des fûts en bois pendant un an environ. Le temps de vieillissement d'El Jimador ressemble donc plus à ceux des *reposados* en général. L'équipe de dégustation a trouvé les deux tequilas El Jimador légèrement plus âpres et moins douces que leurs semblables de Herradura. Considérant que ces produits ont presque suivi le même processus de production, ceux qui préfèrent la signature boisée des Herradura en version plus discrète, auront avec El Jimador une excellente alternative – surtout avec un prix d'achat inférieur –, car elle est légère, plaisante et en aucun cas corsée.

# JOSE CUERVO

## LA COMPAGNIE ET SON HISTOIRE

Jose Cuervo est peut-être le producteur de tequila le plus connu au monde. C'est aussi le plus gros, puisqu'il importe presque la moitié du volume de tequila vendue aux États-Unis – plus de trois fois plus que son concurrent le plus direct, Sauza.

La compagnie possède des documents remontant à la moitié du XVIII$^e$ siècle, qui prouvent qu'elle est le producteur de tequila le plus ancien toujours en activité : elle a célébré son 200$^e$ anniversaire en 1995. À la croire, les premiers jours de Jose Cuervo ressemblent sur bien des points à ceux de la tequila.

La légende raconte que les destins de la famille Cuervo et de la ville de Tequila se sont entremêlés quand Don Jose Antonio de Cuervo reçut une terre par le roi Charles d'Espagne, en 1758, avant que le Mexique ne devînt une république indépendante. Le terrain foisonnant d'agaves bleues, les Cuervo confectionnèrent tout naturellement un alcool, appelé alors le *vino mezcal*, précurseur de la tequila actuelle.

Cependant, le 200$^e$ anniversaire de la compagnie a été fêté en 1995 et non en 1958. Ce n'est qu'en 1795 que Jose Cuervo deuxième du nom, Don Jose Maria Guadalupe de Cuervo, obtint la première licence exclusive du gouvernement mexicain l'autorisant à produire du *mezcal* dans le canton de Tequila ; puis il construisit une distillerie dans les environs de la ville.

Sa fille hérita de la distillerie et se maria avec Vincent Albino Rojas qui la rebaptisa d'après son propre nom, La Rojeña. Cette pratique n'était pas rare et, dans ce cas précis, elle a été probablement méritée, tant il travailla dur pour promouvoir la production familiale hors de l'État de Jalisco jusqu'aux confins du Mexique.

Bien que la distillerie soit restée la propriété des descendants de Cuervo, elle changea de nom plusieurs fois jusqu'au début de ce siècle, quand Jose Cuervo Labastida ajouta une vision plus moderne à l'affaire. C'est alors que la tequila Cuervo fut produite sous l'appellation familiale.

En dépit de la taille de l'exploitation, bien des opérations se font encore à l'ancienne à La Rojeña de Cuervo, située à Tequila, État de Jalisco. Un ouvrier charge manuellement les piñas dans le hornos traditionnel, où elles seront cuites. Elles sont ensuite déchargées sur des tapis roulants qui mènent aux pressoirs.

La distillerie fut prospère sous la direction de Jose Cuervo et la réputation de la marque s'amplifia. Après la mort de Jose et de sa femme Anna, l'affaire fut reprise par Guillermo Freytag Shrier, puis par son fils Guillermo Freytag Gallardo et à nouveau par l'héritier Cuervo, Juan Beckman Gallardo, le père de l'actuel directeur de la compagnie, Juan Beckman Vidal. C'est simple, non ? Après toutes ces transactions, la célèbre distillerie La Rojeña, qui a subi d'innombrables agrandissements et modernisations, est toujours située près du centre-ville de Tequila et produit actuellement plus de 818 000 litres de tequila par semaine. Le distributeur Heublein, Inc., basé dans le Connecticut, est l'importateur exclusif de la tequila Cuervo aux États-Unis depuis 1967. Grâce à sa taille et son potentiel, Heublein a su adopter une politique commerciale agressive, pour promouvoir la marque Cuervo et assurer l'importation et la distribution régulière du produit depuis le Mexique jusqu'à tous les bars de quartier et magasins.

## LA PRODUCTION ET LES PRODUITS

L'énorme production des distilleries Cuervo, La Rojeña et Casa Cuervo laisse peu de place aux tequilas traditionnelles. Par ailleurs, plus de 200 ans d'expérience ne peuvent que profiter à cette ligne de produits sérieux, facilement disponibles et de qualités égales. La compagnie possède ses propres champs et en loue pour se fournir en agaves bleues ; elle propose un large choix de tequilas pour tous les goûts et tous les budgets.

### JOSE CUERVO WHITE

Type : mélangée – au moins 51 % d'agave bleue
Âge : *Blanco* ; pas de vieillissement

La Cuervo White est la tequila standard de la compagnie, mélangée et jeune. Tout comme l'Especial, un produit de la gamme Cuervo mieux connu (décrit ci-dessous), elle est élaborée à partir d'un mélange d'agave bleue et d'autres sucres, pour un pourcentage conforme de 51 %. Distillée à une très haute teneur en alcool, elle est expédiée « en gros », surtout aux États-Unis pour être diluée à 40° et embouteillée. Il existe certainement sur le marché de nombreuses *blancos*

*La gamme actuelle des produits Cuervo comprend, de gauche à droite, les Jose Cuervo White, Cuervo Especial, Cuervo 1800, Cuervo Tradicional, Reserva Antigua 1800 Añejo, Jose Cuervo Reserva de la Familia et Jose Cuervo Mistico.*

mélangées de qualité inférieure à la Cuervo White, mais cette tequila n'est conseillée que pour les cocktails.

## CUERVO ESPECIAL (« CUERVO GOLD »)

*Type* : mélangée – au moins 51 % d'agave bleue
*Âge* : **Joven** ; très peu ou pas de vieillissement

Plus connue sous le nom de « Cuervo Gold », cette marque se trouve partout et est toujours la tequila la plus vendue au monde. C'est une *joven,* ou jeune, mélangée, qui (selon Cuervo) repose brièvement dans d'immenses fûts en chêne, puis est coupée avec une tequila plus claire. Mais la majeure partie de la couleur de la Cuervo Gold provient, comme toutes les tequilas *joven abocado,* de la coloration au caramel avant la mise en bouteilles. Quiconque boit de la tequila a sûrement commencé avec un ou deux verres de Cuervo Gold. Mais si votre expérience s'est arrêtée là, je vous conseillerais fortement de goûter d'autres marques décrites dans ce livre, pour avoir une idée plus objective de ce qu'est vraiment la tequila.

## CUERVO 1800

*Type* : mélangée – au moins 51 % d'agave bleue
*Âge* : pas d'indication (voir texte)

Voici un autre produit très populaire de Cuervo, juste « un cran au-dessus » du Cuervo Gold. Alors que la compagnie considère 1800 comme une *reposado*, l'étiquette ne donne aucune information claire sur son âge. Au lieu de la qualifier de *reposado* ou *añejo*, elle mentionne « un mariage entre l'*añejo* et d'autres tequilas de qualité ». Ce qui signifie que des tequilas jeunes et moins jeunes ont été mélangées et qu'aucun critère principal définissant un âge précis n'a été donné. Apparemment, il y a eu aussi ajout de couleur, car la robe de la 1800 est plus sombre que bien des authentiques *añejos*. La bouteille de Cuervo 1800 est très reconnaissable, en forme de pyramide, avec un bouchon qui peut servir de verre ; elle sera mieux appréciée dans les margaritas ou d'autres cocktails.

## CUERVO TRADICIONAL

*Type* : 100 % agave bleue
*Âge* : **Reposado ;** vieillie pendant deux mois au moins

C'est peut-être la Cuervo la moins connue et la plus sous-estimée de toutes. La Cuervo Tradicional est une authentique *reposado*, faite à 100 % avec les sucres de l'agave bleue, rien de plus. Elle est produite en plus petite quantité que ses sœurs plus connues de La Rojeña ; après la distillation, elle repose dans de larges citernes en chêne où elle se colore légèrement pendant sa brève maturation. Ensuite, la Tradicional conserve sa robe argentée et son goût stimulant, poivré et authentique de tequila. Pour apprécier les qualités de la tequila pure, la Tradicional est la meilleure Cuervo ; à boire à température ambiante, fraîche ou avec des glaçons. C'est le seul produit de la marque qui porte encore fièrement le corbeau noir, symbole originel de la compagnie (corbeau se dit *cuervo* en espagnol), et dont le logo figure sur l'étiquette apposée autour du goulot.

## RESERVA ANTIGUA 1800 AÑEJO

*Type* : 100 % agave bleue
*Âge* : **Añejo ;** vieillie pendant un an au moins

Pour parer à la croissance du marché des tequilas de qualités supérieures – tout particulièrement les alcools vieillis –, Jose Cuervo a proposé ce nouveau produit, qualifié d'*añejo* et 100 % agave bleue. Utilisant le nom 1800 comme signe d'appartenance et de reconnaissance, la nouvelle Reserva Antigua 1800 Añejo se présente dans une bouteille ressemblante, mais plus petite, avec un bouchon en bois, une agave gravée sur le verre et un sceau doré en relief. En tant qu'*añejo*, elle partage les mêmes caractéristiques et nuances de goût des autres *añejos*, mais elle est plus douce, plus complexe et son goût boisé est aussi plus prononcé, de par son séjour d'un an au moins dans de petits fûts américains en bois brûlé.

Avec son contenu 100 % agave bleue et sa désignation officielle d'*añejo*, ce produit a bien peu à voir avec son prédécesseur, toujours commercialisé. Vu la constante segmentation du marché de la tequila et la prépondérance des produits de luxe, je ne serais pas surpris que la 1800 abandonne le nom de Cuervo, afin de créer une marque à part couvrant les qualités basse, moyenne et supérieure. En attendant, il est plaisant de voir que la plus grosse compagnie de tequila au monde répond à l'attente du consommateur en proposant de meilleurs produits et des alcools de luxe.

## JOSE CUERVO RESERVA DE LA FAMILIA

*Type* : 100 % agave bleue
*Âge* : **Añejo** ; vieillie pendant trois ans

Produit le plus cher de la gamme Cuervo, il fut créé en 1995, à l'occasion du 200ᵉ anniversaire de la compagnie, pour servir le marché en pleine croissance des tequilas vieillies ou « ultra » vieilles. Avec cet alcool, Cuervo tente de montrer que, malgré sa taille et sa tendance à produire de la tequila en gros, elle peut aussi concurrencer les plus petits producteurs de tequilas de première qualité, en élaborant un produit unique. Faite à 100 % agave bleue, la Reserva de la Familia est vieillie pendant trois ans dans des fûts en bois de chêne blanc américains, selon les dires de la compagnie. L'intérieur de ces barils a été brûlé, renforçant l'interaction du bois et de la tequila. Le résultat est une robe plus sombre, un goût bien plus riche, des qualités qui se rapprochent plus du cognac ou du bourbon, mais avec l'arôme de l'agave. Les dégustateurs ont trouvé la Reserva de la Familia plus sirupeuse que d'autres tequilas très âgées.

Chaque bouteille de Reserva de la Familia est fermée, individuellement numérotée, scellée à la cire, frappée du nom de Cuervo, puis conditionnée dans une boite en bois – c'est la version Cuervo de la tequila traditionnelle.

## MISTICO

*Type* : mélangée – au moins 51 % d'agave bleue
*Âge* : pas de vieillissement

Cuervo a vraiment créé ce produit pour ceux qui ne cherchent pas à boire de la vraie tequila. Son arôme est citronné – en fait, c'est un Jose Cuervo *blanco* aromatisé au citron.

# PATRÓN

## LA COMPAGNIE ET SON HISTOIRE

Contrairement aux compagnies productrices et aux marques de tequila qui ont un long passé enraciné dans la culture mexicaine, l'immense popularité de Patrón pour les tequilas de qualité supérieure est un phénomène unique. La marque a réussi à s'imposer sur le marché, grâce à son image de qualité (avec une bonne tequila) et de style (avec une bouteille remarquable).

Il n'y a pas de distillerie Patrón : le produit était élaboré jusqu'à très récemment dans la distillerie de Siete Leguas, située dans la ville d'Atotonlico et Alto, dans les Hautes-Terres, ou Los Altos, de l'État de Jalisco, à l'est de Guadalajara. Bien que Siete Leguas produise une tequila de très bonne facture sous son propre nom, destinée au marché mexicain, plus de la moitié de la production de cette distillerie était exportée sous l'étiquette Patrón, en réponse à l'énorme demande pour ce produit aux États-Unis.

La marque Patrón appartient à la compagnie St. Maarten Spirits – propriété de Martin Crowley et John Paul de Joria, de la compagnie Paul Mitchell Hair Care Products. La popularité de cette marque serait due en grande partie à la distribution et à la commercialisation que menait encore récemment un département du géant de l'alcool, la société Seagram. En 1997, étant donné la croissance de la demande touchant leur produit, Siete Leguas n'était plus en mesure

*Seagram vient juste de construire un nouvel établissement dans lequel Patrón sera produit, à Arandas, État de Jalisco.*

d'honorer simultanément l'augmentation de la production de Patrón et celle de sa propre marque pour son propre marché. Patrón devait trouver une autre maison. En ce sens, Seagram, qui sera toujours contractuellement responsable de la production de Patrón, anticipa. Quand je faisais mes recherches pour ce livre, la compagnie achevait juste la construction d'un établissement destiné à produire de la tequila à Arandas, sur la route de Siete Leguas. Comme aucune tequila n'a encore été produite, ni embouteillée ni vieillie dans ces nouveaux bâtiments, aucune n'a encore été dégustée, bien évidemment. Je suppose néanmoins que toutes les méthodes précédentes seront employées à nouveau pour cette tequila, afin de retrouver les mêmes résultats exceptionnels.

Selon Patrón, l'origine des agaves restera la même. Los Altos, connus pour ses sols rouge sombre, riches en fer, sont les terrains fertiles qui fourniront toutes les plantes utilisées par la marque. La terre de Los Altos, riche en minéraux, favorise la croissance d'agaves plus grosses, fortement parfumées et légèrement plus sucrées que les autres.

Jusqu'à présent, il existe deux tequilas différentes de marque Patrón : une *blanco*, qu'ils nomment *silver*, et une *añejo*. Toutes deux sont présentées dans des bouteilles en verre soufflé dépoli, à l'étiquette transparente. Vides, ces bouteilles sont des pièces de collection recherchées, car elles sont utilisées comme flacon de décantation ou comme vase. De toute évidence, le contenant unique a contribué, autant que la qualité du contenu, à l'immense popularité de la marque.

Seul inconvénient pour Patrón, ne pas posséder sa propre distillerie, d'où l'irrégularité de son approvisionnement. À cause du délai entre la récolte de l'agave et, le cas échéant, le vieillissement du produit, il faut un certain temps avant que les stocks ne reviennent à la normale et que l'offre réponde à la demande. Habituellement, l'image et la popularité d'une marque pâtit de l'incapacité à répondre à la demande, mais Patrón a réussi à maintenir sa cote. Non seulement, le produit est de qualité et présenté de manière élégante, mais en plus sa rareté lui confère un certain mystère. Quand la nouvelle usine fonctionnera à plein régime et que le cycle des vieillissements rattrapera la demande, je suis sûr que les problèmes d'approvisionnement de Patrón disparaîtront.

## LA PRODUCTION ET LES PRODUITS

Les descriptions qui suivent précisent bien que la prochaine génération des produits Patrón sortira de la nouvelle usine, ce qui rend hasardeuses les généralisations sur la production, le style et la qualité. Cependant, j'aurais tendance à penser que le marché et la réputation de Patrón pousseront la compagnie à tout entreprendre pour que son produit soit à la hauteur.

### PATRÓN SILVER

*Type* : 100 % agave bleue
*Âge* : **Blanco** ; pas de vieillissement

N'ayant subi aucun vieillissement, cette tequila est complètement transparente et plutôt plaisante. Elle a toujours été, et sera encore 100 % agave bleue, au goût très reconnaissable. La Patrón Silver est assez rafraîchissante pure, lorsque la vraie personnalité de l'agave ressort avec son goût citronné ; mais ses arômes sont aussi assez puissants pour corser une belle margarita ou un autre cocktail à base de tequila.

*Patrón doit son succès à la popularité de ses bouteilles, deve-nues des pièces de collection. Ici, les Patrón Silver et Patrón Añejo.*

## PATRÓN AÑEJO

*Type* : 100 % agave bleue

*Âge* : **Añejo** ; vieillie pendant un an au moins

Patrón décrit son *añejo* comme un mélange de « trois tequilas vieillies de façon unique ». La boisson, qui, au départ, n'est autre que la Patrón Silver, est vieillie dans de petits fûts en chêne blanc, aboutissant à un alcool sans âpreté qui sera le mieux apprécié dans un verre ballon. La popularité de Patrón, associée à l'engouement frénétique pour les margaritas, a contribué à la célébrité de cet alcool à base de *silver* mais aussi de Patrón Añejo. Le résultat est un cocktail plus corsé et des arômes bien marqués. Dans l'ensemble, les dégustateurs ont préféré de loin la Patrón Añejo à la Silver, lui trouvant un meilleur équilibre entre l'arôme et le goût.

## PATRÓN XO CAFÉ

*Type* : sans objet
*Âge* : sans objet

Combien y a-t-il de tendances dans un produit ?
Le dernier-né de Patrón est aussi populaire que les tequilas de qualité supérieure, le café en général et particulièrement les liqueurs de café. Présentée comme leur alternative, cette eau-de-vie n'a que 33 % de sucre par volume, contre les habituels 49 %. Cela donne une liqueur au parfum plus sec ; elle est plus légère, moins sirupeuse et moins écœurante. Avec 35°, la XO Café est aussi un peu moins alcoolisée que la tequila. Personnellement, je préfère boire mon café et ma tequila séparément, mais si je devais consommer cette nouvelle Patrón XO Café, elle serait pure, avec des glaçons ou en cocktail digestif.

# PORFIDIO

## LA COMPAGNIE ET SON HISTOIRE

Porfidio a attiré l'attention des observateurs du monde de la tequila, qu'ils soient chevronnés ou occasionnels, à cause ou malgré son bas niveau de production.

Contrairement aux grandes et anciennes compagnies dont l'histoire est liée aux familles mexicaines vieilles de plusieurs générations, Porfidio fut fondée par un étranger d'une trentaine d'années, l'entrepreneur autrichien Martin Grassl. Depuis, ne produisant que de la tequila de qualité supérieure, Porfidio s'est vite hissé au sommet du marché, où il partage cette place avec les autres fabricants de tequilas de luxe.

Durant son ascension, la marque Porfidio de M. Grassl a éveillé l'intérêt. La plupart des remarques sont positives, mais certaines sont critiques, notamment à l'égard de son authenticité, reconnaissant Porfidio comme une marque et non une compagnie productrice de tequila. Ses adeptes, plus nombreux, la louent pour sa qualité, malgré sa cherté. La marque s'est également faite remarquer pour ses flacons au concept innovant. Chaque alcool de la gamme Porfidio possède sa propre bouteille, dont il est facile de se rappeler, de celle en verre bleu et gravée à l'acide, à celle en verre soufflé et au goulot en forme de bec.

Côté critique, il manque le lieu qui porte le nom de Porfidio. L'étiquette de chaque flacon de tequila mentionne « mis en bouteilles… par Destileria Porfidio ». Ce qui peut être trompeur. Destileria Porfidio est davantage le nom d'une compagnie que celui d'un endroit précis. Selon Porfidio, la société loue son espace dans les bâtiments des autres compagnies de tequila qui ont un excès de capacité, mais elle emploie ses propres ouvriers, applique ses propres méthodes avec son propre équipement, afin de produire son unique tequila, de marque Porfidio. Toute la production a toujours eu lieu dans des distilleries situées aux alentours de Tequila.

Cette mobilité doit fonctionner puisque, malgré les interrogations sur la façon dont la qualité peut être maintenue dans ce qu'on pourrait appeler un contexte de production temporaire, les adeptes de la marque louent tous la qualité du produit. Durant mes propres voyages dans l'État de Jalisco, il m'a été difficile de trouver une distillerie où l'alcool était effectivement élaboré pour ou par Porfidio.

## LA PRODUCTION ET LES PRODUITS

Puisque je n'ai pas pu observer la production de Porfidio par moi-même, je me suis reposé sur la compagnie et ses représentants, afin de m'informer sur le processus, de l'agave à la bouteille.

La méthode repose d'abord sur une sélection rigoureuse de la provenance de l'agave, en fonction de sa maturité idéale. Ensuite, l'emploi unique du jus d'agave résultant de la « première pression » de la plante cuite est une stricte exigence. Seules des levures naturelles de fermentation sont utilisées ultérieurement et, à l'instar de la plupart des producteurs de tequilas de luxe, les alambics traditionnels sont préférés aux alambics tubulaires plus modernes. Enfin, Porfidio distille jusqu'à 40°, plutôt que de diluer un produit au degré d'alcool plus élevé avec de l'eau déminéralisée (procédé utilisé pour les tequilas de moindre qualité).

En un laps de temps relativement court, les tequilas Porfidio se sont hissées au rang des autres boissons de luxe. Plus de la moitié de la production est consommée au Mexique, le reste étant distribué aux États-Unis, mais aussi dans des pays éloignés de l'Extrême-Orient et de l'Europe, dont la République Tchèque.

Contrairement aux trois tequilas habituelles élaborés par un seul et même producteur de tequila 100 % pure agave, Porfidio a développé une gamme de produits de qualité aux caractéristiques distinctes.

## PORFIDIO SILVER

*Type* : 100 % agave bleue
*Âge* : **Blanco** ; pas de vieillissement

Comme toutes les tequilas Porfidio, elle est uniquement 100 % jus d'agave. La Porfidio Silver est une tequila jeune, le propre de la catégorie *blanco* ; chez Pofidio, c'est la plus authentique expression de l'esprit de l'agave bleue. Les dégustateurs l'ont trouvée « citronnée » ; l'un d'eux a même décelé un goût de « citron pur ».

## PORFIDIO PLATA « TRIPLE DISTILLED »

*Type* : 100 % agave bleue
*Âge* : **Blanco** ; pas de vieillissement

L'emploi inhabituel du terme *plata*, quand un autre produit distinct se nomme *silver*, peut paraître déroutant ; il s'agit en fait d'une seconde tequila *blanco*, différente de la Porfidio Silver et élaborée par le même producteur. Alors que les tequilas sont distillées deux fois comme le stipule la réglementation gouvernementale, ce produit en subit une troisième. Cette étape supplémentaire est destinée à rendre le produit plus moelleux, voire plus « pur », que la *blanco* typique ; elle atténue davantage l'âpreté qui caractérise les alcools de qualité « supérieure ». Les dégustateurs qui ont préféré la « Plata Triple Distilled » ont commenté son moelleux, les autres ont choisi le Silver pour son arôme plus frais, plus léger et plus fruité.

Les bouteilles de « Triple Distilled » sont peut-être les plus belles que j'aie vues en ce qui concerne la tequila. Manufacturées à Guadalajara, chacune est plongée dans l'acide pour conférer un effet givré. Puis la couleur est appliquée avec une étoffe, allant du bleu roi sombre à la base, au vert d'eau en haut du flacon.

## PORFIDIO REPOSADO

*Type* : 100 % agave bleue
*Âge* : **Reposado** ; vieillie pendant huit mois

Ce nouveau produit a comblé le seul vide de la gamme Porfidio, avec une tequila *reposado* vieillie huit mois dans de petits fûts en chêne fortement brûlés, d'origine américaine. Les différents contenus sont mélangés après le vieillissement afin d'obtenir l'équilibre désiré entre l'authentique arôme de l'agave et le goût caractérisé par une nuance épicée rappelant le bois. Cette *reposado* à la robe ambrée a été la Porfidio la plus appréciée par l'équipe de dégustation, qui l'a trouvée très « propre » pour une tequila de sa catégorie, avec une excellente clarté et de superbes arômes.

Comme tout produit Porfidio, la *reposado* est conditionnée dans une bouteille spécifique : un pot en grès recouvert de porcelaine couleur bleu roi aux lettres d'or 18 carats et au bouchon en liège. C'est vraiment la *reposado* la plus chère que j'ai vue et, à l'heure actuelle, seules 2 000 caisses sont produites par an.

## PORFIDIO AÑEJO

*Type* : 100 % agave bleue
*Âge* : **Añejo** ; vieilli pendant deux ans au moins

Autre article en production très limitée, avec seulement 2 200 caisses expédiées aux États-Unis chaque année. Porfidio élabore cette *añejo* avec des alcools vieillis deux ou trois ans dans différents fûts américains en chêne, qui ont préalablement contenu du bourbon. Cette tequila moelleuse rappelle le cognac ; elle est veloutée, mais aussi complexe et épicée, avec des qualités fleuries flagrantes, malgré les arômes conférés par le bois.

*Porfidio a gagné plusieurs prix pour son packaging original. De gauche à droite : Porfidio Añejo Single Barrel, Porfidio Añejo, Porfidio Plata « Triple Distilled », Porfidio Silver et Porfidio Reposado.*

## PORFIDIO AÑEJO « SINGLE BARREL » (BOUTEILLE CACTUS)

*Type* : 100 % agave bleue

*Âge* : **Añejo** ; vieillie pendant un an au moins

La « Single Barrel Añejo », connue sous le nom de « Cactus », est presque deux fois plus chère que la Porfidio Añejo normale ; c'est la deuxième tequila la plus chère après la « Barrique » Porfidio. La désignation « Single Barrel » rappelle qu'il ne s'agit pas d'un mélange de tequilas vieillies dans différents fûts. Chaque bouteille de « Cactus » contient une tequila qui provient d'un unique baril sélectionné et qui a reposé pendant un à trois ans. La couleur peut donc varier d'une bouteille à l'autre, puisque la tequila contenue dans chaque flacon provient d'un fût différent. Pour ce qui est du vieillissement du « Cactus », seuls des barils américains en chêne de 200 litres, nouveaux ou légèrement brûlés, sont utilisés. La présence de l'essence fraîche du bois est sensible et se traduit par une nuance sucrée vanillée. Les dégustateurs n'ont pas compris le surcoût de l'*añejo* « Single Barrel » par rapport à la Porfidio Añejo normale. Les arômes sont très similaires, bien que le « Cactus » ait un bouquet légèrement

118

*Porfidio est la seule compagnie qui met en bouteille deux tequilas 100 % agave ; à gauche, le Porfidio Plata « Triple Distilled », et à droite, le Porfidio Silver.*

plus sucré, vanillé, presque crémeux, qui masque quelque peu le parfum de l'agave.

Les bouteilles « Cactus », qui ont reçu bien des distinctions, sont soufflées à Guadalajara. Le flacon est dessiné à partir d'anciennes bouteilles de Coca-Cola®, et le cactus à l'intérieur est fait en bouteilles de 7-Up® recyclées. Puisque chaque bouteille de « Cactus » est soufflée, le niveau du liquide peut varier d'un flacon à l'autre, selon leurs dimensions précises. Évidemment, chacun contient bien 75 centilitres.

# PORFIDIO « BARRIQUE »

*Type* : 100 % agave bleue
*Âge* : ***Añejo*** ; vieillie pendant « plusieurs » années

Pour rester dans la compétition, Porfidio a proposé sur le marché des produits de luxe très âgés, avec la « Barrique » – qui est peut-être l'un des alcools les plus chers au monde. Sa sortie était imminente à la publication de ce livre. Cette *añejo* est vieillie pendant plusieurs années, d'après la compagnie, dans des fûts de chêne de 100 litres du Limousin français, appelés barriques. Ce sont ces mêmes fûts qui servent à vieillir des vins fins, comme un bordeaux du meilleur cépage. Un vieillissement plus long confère une robe sombre, ambrée, et une intensité de goût comparable à celle du cognac, puissante, avec des parfums sucrés qu'exhale par le chêne français.

*De l'or liquide ? Voici une mignonnette de Porfidio Barrique. La tequila est excellente et la bouteille est faite en verre spécial, pour les vases à bec de laboratoire. Une bouteille de contenance normale coûte environ 2 800 F.*

Pour la distinguer, Porfidio a choisi une bouteille en verre transparent, grande et allongée, au goulot étroit, avec un cactus translucide et creux à l'intérieur. Le flacon est du même verre spécial que les becs de laboratoire, ce qui le rend particulièrement solide. Les lettres dorées et le soleil peint ajoutent de la classe à cette magnifique bouteille.

# SAUZA

## LA COMPAGNIE ET SON HISTOIRE

Sauza est énorme : c'est l'une des « deux grandes » compagnies (avec Jose Cuervo), non seulement par la taille, mais aussi par l'influence de la famille Sauza dans le marché de la tequila, dans le présent comme par le passé. La compagnie Sauza a joué un rôle primordial dans l'implantation de l'industrie de la tequila, la préparation et la croissance de sa popularité internationale. Il se peut que Cuervo ait été la première à produire, mais Sauza est la première à avoir exporté (du moins légalement) aux États-Unis : en 1873, trois bouteilles de *vino mezcal* furent acheminées du Mexique vers le Nouveau-Mexique.

Don Cenobio Sauza fonda l'entreprise en 1873, en achetant l'une des premières distilleries fameuses de Tequila. Cet établissement, situé dans l'hacienda de Cuisillos, appartenait à M. Pedro Sanchez de Tagle, encore unanimement reconnu comme le père de la tequila. L'industrie prit de l'ampleur au cours du XIX$^e$ siècle dans le village de Tequila, donnant ainsi naissance à une élite restreinte d'*haciendados* à l'esprit d'entreprise, dont M. Cenobio de Sauza était le plus important.

Don Cenobio fabriqua de la tequila en petite quantité dans la distillerie connue alors sous le nom de La Antigua Cruz (« La Vieille Croix »). En 1888, il la rebaptisa La Perseverancia, pour illustrer la détermination de la compagnie à devenir une puissance incontournable dans l'industrie de la tequila. En même temps, Sauza exportait sa première bouteille de tequila au Nouveau-Mexique, où elle gagna le premier prix au cours d'une exposition, présageant ainsi le rôle moteur qu'allait jouer la firme dans la popularité de la tequila au niveau international.

Don Cenobio est considéré comme un innovateur

important dans les débuts de cette industrie. Il permit de grandes avancées technologiques, comme l'emploi de la chaleur indirecte circulant dans des serpentins à vapeur pour chauffer les alambics, au lieu de les chauffer sur feu vif. Le fils de Cenobio, Eladio, reprit le flambeau ; il lui incomba la tâche de faire prospérer autant l'entreprise que l'industrie dans son ensemble. Né à Tequila en 1883, Don Eladio favorisa l'expansion de la marque Sauza dans tout le Mexique, mais aussi au niveau international, pendant la difficile période de la Révolution mexicaine. Il modernisa la distillerie avec du nouveau matériel et une organisation adaptée. L'héritier suivant fut Don Francisco Javier Sauza, fils de Don Eladio, qui reprit l'affaire en 1931. Il poursuivit l'œuvre familiale en élargissant la distribution, l'image et la réputation de Sauza, non seulement en tant que producteur de tequila de qualité, mais aussi en tant que leader de cette industrie.

La demande augmentant dans les années 1970, Sauza et Pedro Domecq, le premier producteur d'eau-de-vie au Mexique, s'associèrent. Leur partenariat mena au rachat total de Sauza par Pedro Domecq en 1988. En 1994, elle fut acquise par Allied Lyons et de cette fusion naquit Allied Domecq Company, qui contrôle à présent la marque.

Sauza est toujours une puissance majeure de l'industrie de la tequila ; elle élabore et distribue encore des produits en gros et mélangés, autant que des alcools 100 % agave. Alors que Cuervo domine le marché à l'exportation, avec trois fois plus de tequila que Sauza, cette dernière reste la première au niveau national, tout en conservant un bon rendement à l'échelle internationale. Selon les hautes instances de Sauza, la compagnie veut se concentrer en priorité sur le marché interne – en invoquant leur attachement au sol mexicain. Avec la puissance commerciale d'Allied Domecq sur le plan international, sa capacité, la perpétuelle évolution de la gamme de ses produits ainsi que son constant souci de qualité, Sauza devrait maintenir sa position de leader.

## LA PRODUCTION ET LES PRODUITS

La Perseverancia, usine de Sauza à Tequila, manufacture plus de deux millions et demi de litres de tequila par an, dans un environnement moderne, impeccable et avec du matériel de haute technologie. Tout est réalisé à grande échelle à Sauza, mais avec une attention particulière, grâce aux ingénieurs, et l'accent est mis sur la qualité et le contenu. On ne mélange pas les préparations destinées aux tequilas *mixto* ou aux 100 % agave bleue. La fermentation se fait dans des citernes de 75 000 litres, puis le *mosto* est pompé et envoyé dans la structure de distillation.

L'un des points phare de la visite de La Perseverancia : la fresque dans la cour d'entrée, reproduite si souvent, est devenue le symbole de la tequila et de son histoire. Peinte en 1969 par l'artiste Gabriel Flores, originaire de l'État de Jalisco, elle peut être divisée en trois parties. La première décrit l'origine du mythe de la tequila. La deuxième illustre les méthodes rudimentaires d'élaboration de l'alcool. La troisième, la plus grande, représente l'enivrement dû à la consommation excessive de tequila. Au centre de la fresque, un coq, debout sur une agave, symbolise la noblesse et le courage de la marque (voir photo page 11).

Chez Sauza, la première étape du processus de production est différente de tout ce que j'ai pu voir dans la plupart des autres distilleries que j'ai visitées. Au lieu d'être pressée après la cuisson, l'agave est chargée crue

*La Perseverancia de Sauza est la seule distillerie que j'ai visitée où l'agave est broyée avant d'être cuite. Un chargeur verse les piñas dans une trémie ; elles sont ensuite transportées en tapis roulant jusqu'à la desgarradora.*

sur un tapis roulant et passe dans un « broyeur »,
la *desgarradora*. L'agave y est déchiquetée avant d'être
envoyée dans les autoclaves, où elle sera cuite pendant
14 heures. Ensuite, les fibres sont pressées à nouveau et le
jus ainsi extrait est mélangé à celui de la cuisson. Suivent la
chaptalisation et la fermentation, puis la distillation, le
vieillissement et enfin la mise en bouteilles.

## SAUZA SILVER

*Type* : mélangée – au moins 51 % d'agave bleue
*Âge* : **Blanco;** pas de vieillissement

C'est la valeur sûre de la compagnie. C'est le produit qui
se vend le plus au Mexique, c'est pourquoi Sauza est
encore la référence obligée dans le monde de la tequila.
Élaborée à partir de 51 % de jus d'agave bleue, après
l'ajout de sucres durant la fermentation, la Sauza Silver est
distillée à 55°, puis mélangée avec de l'eau déminéralisée
dans des citernes de dilution, afin d'abaisser son degré aux
40° requis ; enfin, elle est embouteillée. Aux États-Unis,
cette tequila mélangée est présentée dans les « puits » des
restaurants spécialisés, qui s'en servent pour leurs cocktails.

## SAUZA EXTRA

*Type* : mélangée – au moins 51 % d'agave bleue
*Âge* : **Joven** ; pas de vieillissement

C'est la tequila *gold* de Sauza, le pendant de la version
Cuervo – qui est la tequila la plus vendue à
l'exportation. La Sauza Extra est élaborée de la même
manière que la Sauza Silver et des colorants et parfums
de synthèse sont ajoutés pour lui donner sa robe ambrée
et son goût plus moelleux. Tout comme la Sauza Silver,
elle est expédiée en gros au Mexique et aux États-Unis,
où elle est embouteillée. Environ 700 000 caisses de
Silver et de Gold sont produites chaque année.

## HORNITOS

*Type* : 100 % agave bleue
*Âge* : **Reposado** ; vieillie pendant trois mois au moins

Pendant quelque temps, Hornitos a été le produit pur agave le plus exporté de la marque Sauza. Cette tequila a longtemps été très populaire au Mexique et les consommateurs aux États-Unis l'apprécient de plus en plus ; la catégorie *reposado* semble en effet susciter un engouement général croissant. Après sa distillation, la Hornitos est vieillie dans de larges citernes en bois pouvant contenir jusqu'à 40 000 litres. Au contact du bois, le produit s'adoucit un peu et se colore naturellement d'un jaune discret, sans reprendre un « caractère boisé ».

Élaborée uniquement, au jus d'agave, la Hornitos a été distinguée par les dégustateurs pour « l'excellente personnalité de la plante » ; elle n'est pas aussi « âpre » que la plupart des tequilas *silver* ou *reposado*. Grâce à sa

*La Sauza Hornitos repose dans de larges fûts en bois pendant environ trois mois avant d'être embouteillée.*

*À **Quinta Sauza**, le barman de la maison montre la bonne manière de faire une « fresca » avec la Sauza Hornitos.*

souplesse, elle peut être aimée pure ou en cocktail, mais je l'ai particulièrement savourée à Sauza, mélangée avec du lime (la version mexicaine du citron vert, en plus petit) et un squirt – le jus de pamplemousse de Tequila. Beaucoup de dégustateurs ont noté combien la Hornitos ressortirait dans des cocktails à base de citron ou de fruits. C'est l'une de mes tequilas préférées pour les margaritas. Testant quelques tequilas pures, un dégustateur remarqua : « [La Hornitos] me donne vraiment envie de boire une margarita ». C'est un hommage au caractère fruité, léger et sec de l'alcool. Heureusement, grâce au succès de la marque Sauza, il est, parmi les grands *reposados*, le plus facilement disponible. Si on considère son rapport qualité/prix, la Hornitos reste un produit exceptionnel.

## SAUZA CONMEMORATIVO

*Type* : mélangée – au moins 51 % d'agave
*Âge* : **Añejo** ; vieillie pendant un an au moins

La très populaire Sauza Conmemorativo est l'une des rares tequilas mélangées commercialisées, suffisamment vieillie pour mériter l'appellation *añejo*. Elle a beaucoup de caractère et est d'un excellent rapport qualité/prix – à peu près un tiers moins cher que *l'añejo* 100 %. La Conmemorativo est la preuve éclatante qu'une tequila issue de mélanges peut être un produit de qualité. À la Perseverancia, l'usine de Sauza à Tequila, la Conmemorativo est vieillie pendant un an à un an et demi dans de petits fûts en chêne.

La Conmemorativo est embouteillée dans un flacon spécial, en verre brun et aux épaules larges ; elle est très demandée pour les margaritas où ses arômes mettent en exergue le corps et le moelleux du cocktail – avec le parfum de l'agave. Au Mesa Grill, notre « Cactus Pear Margarita » (la spécialité de l'établissement) a longtemps été concoctée avec du Conmemorativo pour cette raison.

# GALARDON

*Type* : 100 % agave bleue
*Âge* : **Reposado ;** vieillie pendant onze mois

Bien que cette tequila, la toute nouvelle « Galardon », soit techniquement une *reposado*, Sauza a créé une classification officieuse, celle des *gran reposados*. En effet, la plupart des *reposados* sont normalement vieillies pendant trois à neuf mois ; Sauza a donc ajouté « gran » pour préciser son vieillissement plus long. Littéralement, *galardon* signifie « le prix fort ».

La popularité des tequilas de qualité ne cessant pas de croître, Sauza n'utilise que du jus fermenté d'agave bleue pour la Galardon et produit cet alcool en quantité très, très restreinte. La longue période de vieillissement qui a lieu dans de petits fûts en chêne – plutôt que dans de grosses citernes comme pour la Hornitos – confère au produit une robe encore plus ambrée et une constitution plus moelleuse que la Hornitos. Sauza a également créé une toute nouvelle bouteille à l'étiquette en métal illustrant le savoir-faire de l'artisan mexicain traditionnel. En outre, chaque flacon est signé et numéroté. Vous pourrez dire que vous avez de la chance si vous trouvez une bouteille de Galardon : seules 2 000 caisses sont exportées chaque année.

Les dégustateurs ont été particulièrement impressionnés par la Galardon. Pour ne citer que deux d'entre eux : « Je l'adore. Je pourrais en boire toute la nuit » et « Elle serait excellente comme digestif… Elle laisse une impression de moelleux en bouche ». Apparemment, Sauza a créé une tequila qui allie le corps d'une *añejo* avec la fraîcheur et la pureté d'une *reposado*.

## SAUZA TRES GENERACIONES

*Type* : 100 % agave bleue
*Âge* : **Añejo ;** vieillie pendant deux ans au moins

Le « haut de gamme » de Sauza est surnommé « trois G ». La Tres est présentée dans une bouteille en verre poli noir, gravé des portraits des trois générations de la famille Sauza, qui fondèrent la marque, pour la hisser à son statut actuel de géant de l'industrie de la tequila. En hommage à la famille Sauza, la Tres Generaciones est le produit le plus cher de la marque ; elle est 100 % agave bleue et, aux dires de la compagnie, vieillie pendant deux ans au moins dans de petits fûts en chêne.

Les dégustateurs ont aimé l'arôme suave de la Tres Generaciones et son parfum au goût de miel, qui rappelle celui de la crème brûlée. Ils ont évoqué une « impression agréable, moelleuse et savoureuse en bouche », tout en remarquant son côté assez « doux et léger », qui font de cette tequila une boisson hautement appréciée. La Trois G est vraiment le produit Sauza le plus agréable et l'un des mieux adaptés pour être dégusté et savouré.

*Les produits Sauza, en haut, de gauche à droite : Sauza Conmemorativo, Sauza Hornitos, Sauza Extra et Sauza Silver. En bas : Tres Generaciones et le rare Galardon.*

# TRES MUJERES

## LA COMPAGNIE ET SON HISTOIRE

De toutes les marques de tequila dont j'ai choisi de parler dans ce livre, Tres Mujeres est probablement la moins connue. Sans avoir idée de son existence, je découvris par hasard la *fabrica* de la compagnie, en apprenant que la distribution de ses produits aux États-Unis était imminente. Il est sûr que le peu de notoriété de Tres Mujeres n'a rien à voir avec la qualité de son alcool. Bien qu'elle fasse juste son apparition sur le marché nord-américain, je ne doute pas que sa valeur la rendra vite populaire auprès des adeptes de la tequila.

La marque Tres Mujeres est le produit d'une compagnie qui porte le nom de son propriétaire, J. Jesus Partida Melendrez. Tres Mujeres n'a que deux ans, mais son producteur connaît parfaitement le monde de l'agave bleue. La famille Melendrez a cultivé et cultive encore des millions de ces plantes pour le compte de fameux producteurs, depuis plus de 70 ans.

Quand les tequilas de qualité supérieure devinrent de plus en plus populaires, Jesus Partida décida d'entrer dans l'arène et se promit de réaliser la meilleure tequila pure agave bleue, 100 % artisanale, qui pourrait rivaliser avec les autres produits de luxe, mais à un prix légèrement inférieur. Ainsi fut créée la tequila Tres Mujeres, qui signifie littéralement « Les Trois Femmes », en l'honneur de la mère de Jésus et de ses deux sœurs.

## LA PRODUCTION ET LES PRODUITS

Comme je roulais sur la route principale de la ville d'Arenal, à l'ouest de Guadalajara, près d'Amatitán (dans la même vallée), je passais devant un kiosque, au bord de la route, qui vendait la tequila Tres Mujeres. Derrière la cahute, au bout d'un chemin de terre tout cabossé et au-delà des champs d'agaves de Partida, se tenait un établissement plutôt petit : la manufacture Tres Mujeres et ses méthodes traditionnelles.

L'agave bleue est coupée à la main et cuite dans un petit four pendant 24 heures, avant de reposer pendant encore 24 heures dans le four. Le jus est extrait de la plante par un broyeur ; de l'eau est ajoutée pendant cette opération. La

Les Tres Mujeres Blanco et Tres Mujeres Reposado ont la même bouteille en verre gravé.

fermentation naturelle a lieu dans trois citernes en acier inoxydable, de taille moyenne ; elle dure entre huit et dix jours et aucune levure artificielle n'est ajoutée. La première et la seconde distillation se font dans deux alambics ronds. Moins de 20 personnes travaillent dans cet établissement qui ne produit que 1 000 litres de tequila Tres Mujeres par jour.

## TEQUILA TRES MUJERES BLANCO

*Type* : 100 % agave bleue
*Âge* : **Blanco** ; pas de vieillissement

Comme nous l'avons précisé, cette tequila est « naturelle à 100 % » ; sa bouteille est fort jolie, en verre gravé. Ma visite de la petite et impressionnante firme Partida m'avait donné envie d'écrire sur Tres Mujeres ; c'est lors d'une séance de dégustation au Mesa Grill, à New York, que je fus le plus enthousiasmé par cette marque. Toute l'équipe a été très impressionnée par cette tequila dont personne n'avait entendu parler auparavant. La *blanco* est incroyablement intense, parfumée, tout en restant moelleuse. « Épicée, *chili pepper* » et « au goût de

*La Tres Mujeres Reposado Anfora est une reposado normale, mais son flacon est particulier, comme une flasque recouverte de cuir tanné.*

noisette », voici les qualités qui la décrivent : elle donne au consommateur la sensation très pure et authentique de la tequila.

## TEQUILA TRES MUJERES REPOSADO ET
## « REPOSADO ANFORA »

*Type* : 100 % agave bleue

*Âge* : **Reposado** ; vieillie pendant trois mois

La *reposado* Tres Mujeres est tout aussi impressionnante que la *blanco* ; elle est vieillie après distillation pendant trois mois dans des fûts de chêne neufs, dans une *bodega* située à l'intérieur de l'établissement que j'ai visité. La *reposado* possède deux bouteilles différentes ; la première est semblable à celle de la *blanco* et la seconde a la forme d'une *anfora*, ou flasque, recouverte de simili cuir, à la sangle et aux garnitures en peau ; elle attire indéniablement le regard. Même si l'ornement en cuir et l'imprimé léopard peuvent paraître un peu voyants pour représenter une marque somme toute plutôt discrète, ils sont issus de la mode actuelle. La concurrence est telle que pour « sortir du lot », le packaging est devenu un élément important pour les compagnies productrices de tequila, les importateurs et leurs distributeurs. Bien que Tres Mujeres n'ait pas encore commercialisé d'*añejo* aux États-Unis, il est certain qu'elle ne passera pas inaperçue quand elle sera sur le marché. Pendant que je visitais la distillerie, le fils de Jesus, Sergio, le « coordinateur à l'événementiel », m'a montré quelques flacons en cours de test et destinés à leur produit haut de gamme. Les dégustateurs ont trouvé à la *reposado* Tres Mujeres encore plus de caractère qu'à la *blanco*, bien que leurs styles soient similaires, l'accent étant toujours mis sur l'arôme de l'agave. « Poivrée, beaucoup d'arômes, un goût volontaire » : telle a été la description de cette tequila plaisante, couleur miel.

# LE MEZCAL

La popularité fulgurante de la tequila, ses ventes en pleine croissance et l'intérêt grandissant pour ses marques de luxe ont aussi entraîné un nouvel engouement pour le mezcal. De même, l'enthousiasme se développe aussi autour de la catégorie des produits de première qualité. Avec 100 000 caisses environ vendues aux États-Unis chaque année, par rapport aux plus de 5 millions de caisses de tequila, le mezcal peut être considéré comme un point sur l'écran, mais c'est un point qui devient de plus en plus brillant.

De même que la tequila, le mezcal est distillé à partir de l'agave, mais de différentes espèces : les variétés utilisées pour cet alcool sont typiques de la région d'Oaxaca, État du sud du Mexique dans lequel on fabrique les meilleurs mezcals. L'agave la plus fréquente s'appelle l'*espadín*. Le mezcal diffère encore de la tequila par la méthode de cuisson de l'agave : au lieu d'être cuite au four, elle est braisée, ce qui lui confère des arômes fumés typiques.

L'engouement pour le mezcal est apparu quand la tequila devenait célèbre hors des frontières mexicaines. Comme pour celle-ci, différents types de mezcal sont proposés, depuis les marques artisanales et traditionnelles, très intéressantes, jusqu'aux produits de masse, moins agréables.

Le mezcal, appelé encore *vino mezcal*, et le *pulque* étaient les deux boissons de choix jusqu'à la fin du XIX$^e$ siècle, lorsque la tequila fut considérée comme un produit distinct des autres alcools à base d'agave. Avant la reconnaissance officielle de la tequila, seuls les aristocrates consommaient le mezcal distillé, son précurseur ; le peuple, lui, buvait le *pulque*, une liqueur non distillée de pulpe d'agave fermentée.

Par définition, toutes les tequilas sont des mezcals, mais tous les mezcals ne sont pas des tequilas. De même que le gouvernement mexicain a établi des règles strictes portant sur les régions et les méthodes de production de la tequila, le processus d'élaboration du mezcal doit respecter des normes spécifiques. La relation entre ces deux alcools ressemble à celle qui concerne le cognac et l'armagnac : ils sont similaires, bien qu'ayant chacun leur caractère distinct ; ils sont fabriqués dans des régions différentes et aucun n'est foncièrement supérieur à l'autre.

## NORMALISATION DU MEZCAL

Historiquement, le mezcal ne provient d'aucune région mexicaine précise, mais le gouvernement s'est récemment appliqué à codifier son industrie. La mention « mis en bouteilles en région d'origine » est indiquée sur les flacons de mezcal dont la production est géographiquement définie.

La première règle date de 1995, avec la création d'une appellation d'origine pour le mezcal d'Oaxaca. Le gouvernement mexicain et les producteurs ont déterminé ensemble la zone officielle de production du mezcal – principalement dans l'État d'Oaxaca. Cette loi la tolère également dans les États de Guerrero, Durango, San Luis Potosí et Zacatecas, qui ont tous été déclarés « origines officielles ». Les mezcals qui y sont élaborés et embouteillés peuvent donc porter l'appellation « mis en bouteilles en région d'origine », quelle que soit la provenance précise. En régularisant ainsi le monde du mezcal, le gouvernement souhaite lui offrir ses lettres de noblesse, ce qui stimulerait en retour l'économie locale et celle du mezcal en particulier. Les alcools qui ne portent pas cette appellation peuvent en fait provenir entièrement ou en partie de l'État d'Oaxaca, mais être embouteillés ailleurs. Dans ce cas, le flacon indique *Regional de Oaxaca*, plutôt que de préciser le lieu de l'embouteillage. L'étiquette stipulera en caractères gras qu'il a été conditionné au Mexique par la mention *Hecho in Mexico*.

En 1997, le gouvernement a créé une nouvelle *Norma* pour le mezcal, en établissant de nouveaux décrets relatifs à la production de cet alcool, dont la création de deux classifications distinctes, à l'instar de la tequila. L'objectif de cette loi était de classer la « pureté » du mezcal. La première catégorie, « type 1 », se rapporte aux produits 100 % agave, qui sont appelés plus communément *maguey* dans le monde du mezcal. La seconde classification, « type 2 », comprend les alcools présentant au moins 80 % de maguey. Comme pour la tequila, des sucres de fermentation qui n'ont rien à voir avec ceux de l'agave peuvent les compléter. La corrélation est presque automatique entre la part de maguey et les méthodes d'élaboration utilisées pour chaque catégorie de mezcal. Les produits de type 1 sont fabriqués de manière plus artisanale, en plus petite quantité, et sont plus chers que les mezcals de type 2. Ces derniers sont généralement produits en masse, à l'aide de méthodes plus industrielles et modernes, et sont meilleur marché.

La nouvelle *Norma* a également établi des catégories selon l'âge des mezcals – l'équivalent de *joven, reposado* et *añejo* pour la tequila. Tout comme cette dernière, le mezcal peut être teinté avec divers colorants artificiels. En revanche, son vieillissement diffère un peu. En goûtant quelques mezcals *reposado* et *añejo*, j'ai trouvé au palais que l'effet de l'âge diminue ou, tout du moins, masque les vraies caractéristiques de cet alcool. En vieillissant le mezcal, les arômes naturels sont estompés et se rapprochent de ceux des tequilas *añejo*. Les colorants utilisés dans les mezcals produits en masse ont le même effet que sur les tequilas *gold* : ils assombrissent la robe et adoucissent le goût.

## FABRICATION DU MEZCAL

Afin d'illustrer le profil des arômes qui le caractérisent, je dois d'abord décrire la méthode traditionnelle d'élaboration du mezcal, afin d'expliquer son goût unique. Comme je l'ai dit précédemment, il existe quelques différences entre les processus de production de la tequila et du mezcal. Les variétés de plantes et la méthode de cuisson ne sont pas identiques. Diverses variétés de maguey sont employées pour le mezcal : l'immense pulque maguey, le maguey silvestre (« sauvage »), le maguey tobala (une espèce des montagnes, plutôt rare), le maguey espadín (« épée », le plus usité), le maguey tepestate (« horizontal ») et le maguey larga (« long »), variété plus grosse de l'agave azul, la fameuse agave bleue.

Le mezcal est produit avec des *piñas* de 30 à 60 kilogrammes, récoltées quand le maguey atteint sept à dix ans. La récolte en elle-même ressemble en tout point à celle qui concerne la tequila. Les *piñas* sont transportées

*À Oaxaca, les agaves récoltées sont transportées à dos de burro depuis les champs jusqu'au palenque, où le mezcal est produit.*

*Pour la fabrication du mezcal, l'agave est grillée dans une fosse en pierre pavée.*

jusqu'aux *palenques*, usines ou distilleries, pour y être traitées. Déchargées et coupées en morceaux, elles sont entassées dans une fosse conique pavée, de quatre mètres de diamètre et trois mètres de profondeur environ, qui peut contenir plus de trois tonnes de *piñas*. La fosse est préalablement chauffée avec du bois et tapissée d'un lit de galets qui empêche le contact direct des *piñas* avec le charbon. Ces dernières sont alors recouvertes de pierres chaudes chauffées au feu de bois. Puis vient une couche de feuilles ou de fibres provenant de la plante, surmontée de nattes en rameaux et fibres tressées. Enfin, le tout est recouvert de terre. Un mezcal*ero* ou un *practico* supervise la cuisson qui dure deux ou trois jours, pendant laquelle l'agave s'imprègne des arômes de la terre et du bois fumé. Au final, le parfum du mezcal est très différent de celui de la tequila. Pour cette dernière, l'agave est cuite à l'étouffée dans des fours en pierre ou dans des autoclaves en acier inoxydable, alors que la plante destinée à la production du mezcal est grillée, ce qui lui confère un arôme fumé spécifique. Durant la cuisson, les hydrates de carbone et les amidons des *piñas* se transforment en sucres de fermentation.

Au terme de cette étape, l'agave a pris un goût sucré, comparable au caramel, et une senteur de fumée : elle sera pressée, broyée pour en extraire le jus. Les méthodes sont nombreuses et varient suivant la taille et le style de chaque unité de production. Sur le plan traditionnel, une meule en pierre, comme la *tahona*, écrase l'agave cuite. Dans les unités de production plus modernes, des « broyeurs » et d'autres machines automatiques de pilonnage mènent rapidement l'opération.

L'agave écrasée est ensuite chargée dans des cuves en bois ou dans des citernes en acier inoxydable, puis de l'eau est ajoutée. La mixture, appelée *tepache*, fermente pendant quatre à 30 jours, suivant la saison. Une atmosphère plus chaude accélère la fermentation. Ensuite, le résultat obtenu (le liquide comme le solide) est versé dans des alambics ronds en acier, en cuivre ou en céramique pour les équipements les plus traditionnels, et dans lesquels a lieu la distillation. Alors qu'il faut distiller deux fois la tequila pour obtenir le produit le plus pur, le mezcal ne subit traditionnellement ce traitement qu'une fois. Toutefois, et depuis peu, des mezcals le sont à deux reprises. Les plus soignés sont distillés jusqu'à ce qu'ils titrent le bon degré d'alcool, avant leur embouteillage. Les mezcals fabriqués en masse sont distillés avec une plus haute teneur en alcool, et sont dilués ensuite avec de l'eau pure, avant l'embouteillage.

La différence entre les mezcals traditionnels « faits-main » et les produits plus modernes est aussi flagrante que celle qui existe entre les tequilas artisanales et « industrielles ». Dans tous les cas, mais particulièrement dans les petits villages où l'on trouve les établissements qui produisent cet alcool en quantité restreinte, un profond respect est accordé au mezcal et à ses traditions. Lors de cérémonies traditionnelles, il est honoré pour ses utilisations médicales et sa portée sociale.

## À QUI LE VER ?

Il existe deux types de vers vivant dans les agaves. Les vers rouges nichent dans les racines, les vers blancs dans les feuilles. D'après la légende, en résidant dans la plante, le ver hérite de l'esprit magique de l'agave et transmet au mezcal l'âme de la plante divine ; le plus important : il la procure à celui qui l'avale. En réalité, le ver est surtout un moyen de commercialisation, qui alimente les conversations pendant la cérémonie qui a lieu autour de la bouteille vide : « Qui va manger le ver ? ». Hormis le fait qu'il rajoute un peu de parfum au mezcal, ce fameux ver est inoffensif ; on dit même qu'il est une source de protéines.

L'histoire suivante, qui m'a été racontée par Ron Cooper, de Del Maguey Ltd. Mezcal Company, explique la présence du ver dans la bouteille de mezcal. En 1940, Jacobo Lozano Páez partit de Parras de la Fuente, dans l'État de Coahuila, pour étudier l'art à Mexico. Il obtint un travail à « La Minita », affiliée à « La Economica », et cette expérience changea ses aspirations artistiques : il devint un embouteilleur prospère et un négociant en mezcal, activité qu'il développa dans ce même magasin de spiritueux. Jacobo y rencontra sa future femme, ouvrit une petite société d'embouteillage en 1942 et en confia la gestion à son épouse.

Le couple achetait le mezcal à la famille Méndez qui habitait à Matatlán, dans l'État d'Oaxaca. Pour leur affaire, ils allaient chercher les bouteilles et les nettoyaient. En 1950, Jacobo devint un entrepreneur sans grande expérience, mais un grand connaisseur des méthodes de production ; il était désormais propriétaire d'Atlántida S.A. – une petite société d'embouteillage située dans le centre-ville. Il découvrit que les vers du maguey donnaient un goût spécial au mezcal : quand la plante coupée était prête pour la cuisson, beaucoup de ces larves restaient enfouies dans le cœur. C'est ainsi que Jacobo eut l'idée de donner à son produit une touche très particulière : il mit un ver dans l'alcool et, avec la bouteille, un petit sac de sel mélangé à cette même larve séchée et réduite en poudre. Ces ingrédients servirent à identifier les mezcals « Gusano de Oro » et « Gusano Rojo » aux États-Unis ; ce procédé fut repris pour d'autres produits élaborés et commercialisés à l'échelle industrielle.

## LES MARQUES DE MEZCAL

Il existe plus de marques de tequila que de mezcal aux États-Unis. En revanche, ce dernier est bien plus répandu au Mexique qu'à l'étranger. Sommairement, le marché du mezcal en Amérique du Nord est divisé en deux : le premier est tenu par les gros producteurs commerciaux et le second par les petites compagnies artisanales.

## LES GROS PRODUCTEURS

Parmi les gros producteurs les plus connus, Monte Albán et Dos Gusanos viennent de la compagnie Mezcal Monte Albán S.A., et Gusano Rojo de la compagnie Nacional Vinícola S.A. Ce sont dans ces bouteilles que vous avez le

*Les Gusano Rojo et Monte Albán sont deux des mezcals produits à l'échelle industrielle par les grandes compagnies.*

plus de chance de voir l'horrible ver. Bien que tous les mezcals commercialisés furent produits à l'origine par des petites familles qui commencèrent leur affaire au début du XX<sup>e</sup> siècle, les compagnies qui les élaborent à présent sont devenues de grandes entreprises modernes, comme dans l'industrie de la tequila. Toutes sont équipées d'autoclaves incorporés pour la cuisson des *piñas* et de broyeurs automatiques pour extraire le jus, de citernes en acier inoxydable pour la fermentation et d'alambics de distillation modernes. Ces sociétés ont conclu des alliances avec de grands conglomérats spécialisés dans les spiritueux au niveau international, qui possèdent une énorme capacité de distribution et des réseaux de promotion.

Le mezcal qui en provient peut être comparé aux produits de gros élaborés par les grandes compagnies de tequila. Normalement, des sucres qui ne sont pas issus de l'agave sont ajoutés avant la fermentation et du colorant l'est après la distillation. Tout comme la tequila, la boisson finale a perdu le caractère authentique et pur des meilleurs mezcals. Les dégustateurs ont noté ses caractéristiques de fumée bien particulières, mais aussi sa personnalité plus alcoolisée, parfois décrite comme légèrement « chimique », ce qui est aussi le cas des tequilas fabriquées à l'échelle industrielle ; à réserver pour la confection de cocktails.

## LES PETITS PRODUCTEURS

Encantado et Del Maguey Single Village sont deux marques de mezcal appartenant à des petits producteurs, qui exportent leurs alcools haut de gamme aux États-Unis. Ces mezcals apparaissent dans les meilleurs magasins et dans les bons restaurants. Ces produits et leur histoire fascinante illustrent bien la croissance du marché de la qualité dans l'industrie du mezcal.

## LE MEZCAL ENCANTADO

*Encantado* signifie littéralement « enchanté » ; il a été le premier mezcal de qualité supérieure commercialisé aux États-Unis, à partir de 1995. La marque a été créée par Carl Doumani, le célèbre négociant en vins de l'établissement vinicole de Stags Leap, dans la vallée de Napa, et Pam Hunter, une publiciste. L'objectif d'Encantado : créer un produit authentique, artisanal et rivalisant avec les meilleures tequilas traditionnelles.

Animés par cet esprit d'excellence et d'authenticité, Doumani et Hunter se sont adressés à plusieurs experts mexicains renommés, spécialistes de la culture du maguey et de la production de mezcal. Ils identifièrent les meilleures plantations maguey de l'État d'Oaxaca. Quatre variétés étaient cultivées : l'espaidín (une espèce bleue), la tobala (une agave sauvage), la karwinski et l'americana. Ces quatre types d'agave produisent l'Encantado, aux arômes fumés, à la fois complexes et doux. La compagnie emploie les méthodes les plus artisanales et refuse d'intervenir dans la production ; elle fabrique un mezcal 100 % agave, semblable aux produits des producteurs de tequila les plus traditionnels.

L'agave utilisée par Encantado est cultivée dans de très

**Produit de manière traditionnelle, l'Encantado a été le premier mezcal artisanal exporté.**

petits *ranchos* familiaux. Les *piñas* récoltées sont acheminées vers les distilleries des villages à dos de *burro*, où elles sont grillées au bois, à l'extérieur, dans les grandes fosses pavées déjà décrites. Après quatre jours de cuisson, elles sont transportées en brouette jusqu'au *molino* tout proche, où elles sont broyées avant la fermentation. Celle-ci a lieu dans des cuves en bois, où la préparation repose pendant deux semaines environ. Le jus fermenté est alors versé dans des alambics en argile appelés *ollas*, pour la première distillation. Quant à la seconde et dernière, elle se déroule dans un établissement central, où les produits provenant de chacune des 29 *palenques* (distilleries) d'Encantado ont été mélangés.

L'équipe de dégustation a été impressionnée par le mezcal Encantado, avec son caractère poivré et légèrement épicé. Comparé à la tequila, plus moelleuse, il s'est montré « plus ardent » et « rustique ». Ce produit pur, très complexe, possède un bouquet fleuri, végétal et des arômes qui rappellent l'herbe et la terre ; il laisse en bouche une note fumée mémorable.

# LES MEZCALS DEL MAGUEY PUR VILLAGE

Arrivée plus récemment sur le marché, voici une gamme de quatre mezcals « pur village », élaborés par de petits producteurs dans l'État d'Oaxaca ; ils font partie des alcools les plus sublimes que j'aie eu l'occasion de goûter, au cours des recherches que j'ai menées dans le cadre de ce livre. Chacun est pur, naturel ; il n'a été souillé par aucun mélange et présente des arômes extrêmement puissants. Del Maguey a été fondée en 1995 par Ron Cooper, un artiste de Ranchos de Taos dans le Nouveau-Mexique ; il a travaillé très longtemps dans l'État d'Oaxaca, où il est tombé amoureux de ces mezcals exceptionnels.

Les produits pur village de cette compagnie sont vraiment élaborés artisanalement, comme les tequilas traditionnelles El Tesoro. De même qu'il existe « des vins issus d'un seul cépage », les quatre mezcals Del Maguey n'ont pas été mélangés et proviennent chacun d'un seul village minuscule, perdu dans l'État d'Oaxaca. Seules les méthodes naturelles sont employées : les ingrédients utilisés par chaque village *palenquero* se résument à de l'agave et de l'eau, dont la longue interaction donne un alcool pur et authentique, l'âme du mezcal. Afin de préserver leur qualité exceptionnelle, la production de chaque village est limitée à 3 200 bouteilles par an.

Del Maguey utilise des broyeurs en pierre tirés par des chevaux pour presser le maguey, qui est ensuite chargé dans de larges cuves de fermentation en chêne. Lors de cette opération, seules des levures naturelles sont utilisées.

Le résultat est vraiment unique dans les quatre cas. Chacun possède un arôme fumé et très puissant. Les mezcals produits en quantité industrielle sont distillés à un haut degré d'alcool, puis dilués à l'eau jusqu'à ce qu'ils atteignent 40°. Quant aux mezcals Del Maguey, ils sont distillés jusqu'à ce qu'ils titrent leurs degrés respectifs.

Les mezcals Santo Domingo Albarradas (49°), le Chichicapa (47°), le San Luis Del Rio (48°), et le Minero (49°) proviennent tous de villages différents, à l'environnement spécifique, qui leur confèrent des personnalités bien distinctes.

Déguster les mezcals est une expérience intense ; il faut être prêt à être submergé par leur chaleur. Chacun offre un arôme profond, complexe et fumé ; un profane leur trouverait une odeur de « brûlé », qui provient de la méthode

*Del Maguey Ltd produit quatre mezcals distincts ; chacun provient d'un village différent de l'État de Oaxaca.*

de cuisson. Au-delà, leurs nuances épicées et sucrées se révèlent et une note citronnée se distingue parmi les parfums, dont quelques-uns rappellent des fruits tropicaux grillés.

Mon favori est le Minero ; il a un bouquet sensiblement fleuri et une pointe vanillée accompagnée d'un parfum de miel brûlé, légèrement citronné. Il est chaud, intense et sucré pendant toute la dégustation ; son goût fruité et moelleux est vraiment unique.

À la *palenque* où il est produit, l'alambic est en argile et les tubes sont en bambou et non en cuivre.

Le côté artisanal de Del Maguey est mis en évidence par le type de bouteille : chacune est présentée dans son panier en osier tressé, traditionnel et fait à la main. Dans l'État d'Oaxaca, les femmes tressent des paniers depuis des milliers d'années, et tous les motifs qu'elles reproduisent sont d'origine zapotèque ou mixtèque. Stylisés, ils représentent des fleurs, des céramiques ou des éléments architecturaux ; il faut une journée entière pour tresser complètement un panier. Les étiquettes, dessinées par l'artiste Ken Price, sont magnifiques.

# LA MARGARITA SUPRÊME

Chaque recette de margarita est ni plus ni moins qu'une variation du même thème : tequila, liqueur d'orange, jus de citron vert, glace et sel. Il existe certainement autant de versions de la « margarita suprême » que d'anecdotes sur la vraie histoire de son invention. Puisque l'objectif de ce livre est de vous aider à devenir un consommateur averti et non un conteur de sornettes, nous nous en tiendrons à la revue des ingrédients indispensables pour une margarita et nous évoquerons différentes techniques.

## LA TEQUILA

La marque et le type de tequila que vous aimez boire pure devraient vous aider à déterminer ce que vous voudrez utiliser dans la margarita. Si vous souhaitez retrouver l'âpreté authentique et fraîche de l'agave de la *blanco*, choisissez ce type de tequila. Il donnera de la vigueur à votre cocktail. De même, la complexité et le moelleux d'une *reposado*, et *a fortiori* d'une *añejo*, offriront à votre margarita une robe plus sombre et un contenu plus riche, avec des arômes plus complexes. Je préfère une tequila *blanco*, car elle complète la fraîcheur du jus de citron vert et de la liqueur d'orange. Une *reposado*, si possible qui n'a pas trop vieilli, donnera un cocktail plus moelleux et plus doux. Bien que certains apprécient les margaritas *añejo* pour leur note vanillée et leur goût de bois de chêne, je trouve que ce genre de boisson s'éloigne de la qualité épanouie de la margarita et je conseillerais de déguster les *añejos* pures.

Faut-il ou non des tequilas 100 % agave ? Cela dépend de la pureté que l'on veut accorder à la margarita. Est-il nécessaire d'acheter plus cher un produit de qualité supérieure pour le mélanger avec d'autres ingrédients ? Bien que je sois un adepte des tequilas 100 % agave, je reste objectif sur leurs effets tout relatifs. Si vous débutez dans le monde de la tequila, une bonne *mixto* conviendra à vos cocktails. Plus votre goût s'affinera, plus vous tenterez probablement des expériences avec d'autres types de tequila.

## LA LIQUEUR D'ORANGE

La liqueur d'orange est le deuxième ingrédient le plus important dans la margarita. Le choix est plus restreint que celui des tequilas, mais son impact est tout aussi important. Le plus connu est le triple-sec, liqueur à base de peaux d'orange fermentées et distillées dans un alcool. Il existe de nombreuses marques de triple-sec : leur différence réside principalement dans leur degré d'alcool (suivant leur distillation) ; certains ajoutent aussi des sucres. Je suggère un triple-sec d'environ 15° : dans la margarita, c'est à la tequila qu'il revient de livrer le plus d'alcool et d'arôme et non à la liqueur d'orange.

Nombreuses sont les liqueurs d'orange de très bonne qualité et disponibles. Au Mesa Grill, nous avons du Cointreau® et du Grand-Marnier®, les deux spiritueux de ce genre les plus célèbres. Notre « Especial margarita » est faite avec du Gran Torres®. Le Citronge® et le Controy®, plus rares, peuvent être aussi utilisés.

Le Cointreau® est ma liqueur d'orange favorite et, à mon avis, il équilibre le mieux les arômes d'une margarita. C'est un spiritueux de 40°, distillé trois fois et fait à partir de peaux d'oranges séchées : l'essence des écorces est mélangée à des alcools « neutres » et à du sucre de canne. Les margaritas au Cointreau® et non au triple-sec, possède un arôme orangé plus riche. Mais il est important de respecter les doses appropriées de Cointreau® ou de toute autre liqueur d'orange, afin que son parfum ne masque pas celui de la tequila.

Le Grand-Marnier® est une liqueur d'orange de qualité supérieure : il est mélangé avec du cognac et vieilli pendant un ou deux ans. Les margaritas sont alors plus sombres ; elles ont une saveur et un caractère bien distincts. Le cognac confère un nouvel arôme au cocktail. Même si beaucoup de gens aiment ce mélange, je préfère la saveur plus pure de la tequila avec du citron vert et le soupçon d'orange du triple-sec ou du Cointreau®.

## LE JUS DE CITRON VERT

Le jus de citron est le dernier ingrédient essentiel de la margarita et le moins controversé. Certains préfèrent le citron au citron vert car son amertume varie suivant les saisons. Je vous suggère de presser vous-même vos citrons verts. Si le jus est trop acide, ajoutez du sucre ou achetez un mélange prêt à l'emploi. Suivant la quantité de margarita voulue, vous pouvez acheter du jus de citron vert fraîchement pressé. Toutefois, évitez les produits déjà sucrés. Privilégiez toujours les produits frais.

## LE SEL

C'est tout simplement une question de goût personnel. On ne devrait jamais en mettre dans une margarita, mais certains aiment que le bord de leur verre en soit bordé. Prenez toujours du sel casher ou du sel de mer. Cet ingrédient n'est pas traditionnel ; c'est plutôt le mélange sel-citron vert associé à la tequila consommée d'un trait qui l'a rendu familier (voir p. 165). Personnellement, je pense que le sel altère le goût des ingrédients.

**NOTE** : dans les recettes de cocktails suivantes, le terme « tequila blanche » fait référence aux tequilas *blanco*, *plata* ou *silver*, selon le producteur.

MESA GRILL MARGARITA

# MESA GRILL MARGARITA

Voici les ingrédients de base pour préparer les variations de margaritas.

- 4 mesures de tequila (60 ml)
- 2 mesures de triple-sec ou de liqueur d'orange (30 ml)
- 2 mesures de jus de citron vert (30 ml)
- Gros sel (facultatif)
- 1 quartier de citron vert

# ROCKS MARGARITA

Mélangez la tequila, le triple-sec et le jus de citron vert dans un shaker avec des glaçons et secouez bien. Versez dans un verre à long drink et décorez avec le quartier de citron vert.

Facultatif : frottez le bord du verre avec un quartier de citron vert, puis plongez-le dans une coupelle de gros sel.

# UP MARGARITA

Mélangez la tequila, le triple-sec et le jus de citron vert dans un shaker avec des glaçons et secouez bien. Versez dans un verre à cocktail glacé et décorez avec le morceau de citron vert.

Facultatif : frottez le bord du verre avec un quartier de citron vert, puis plongez-le dans une coupelle de gros sel.

# FROZEN MARGARITA

Mélangez la tequila, le triple-sec et le jus de citron vert dans un shaker avec la glace pilée et secouez bien jusqu'à obtenir un mélange homogène. Versez dans une coupe et décorez avec le quartier de citron vert.

Facultatif : frottez le bord du verre avec un quartier de citron vert, puis plongez-le dans une coupelle de gros sel.

# ABSOLUT TEQUILA

- 1 mesure de tequila blanche (15 ml)
- 1 mesure de vodka Absolut® (15 ml)
- 4 mesures de liqueur d'orange (60 ml)
- 1 tranche de citron

Mélangez les boissons dans un shaker avec de la glace en morceaux et secouez bien. Versez dans un verre à whisky et décorez avec la tranche de citron.

# ACAPULCO

- 3 mesures de tequila blanche (45 ml)
- 4 mesures de jus d'ananas (60 ml)
- Sprite® ou 7-Up®

Mélangez la tequila et le jus d'ananas avec de la glace dans un verre à whisky. Remplissez avec du Sprite® et remuez.

# ACAPULCO CLAM DIGGER

- 3 mesures de tequila blanche (45 ml)
- 6 mesures de jus de tomate (90 ml)
- 6 mesures de jus de clam (90 ml)
- $3/4$ de cuillerée à soupe de raifort
- Sauce Tabasco® selon votre goût
- Sauce Worcestershire® selon votre goût
- Quelques gouttes de jus de citron
- 1 tranche de citron, vert ou non

Mélangez tous les ingrédients avec de la glace en morceaux dans un verre. Décorez avec le citron.

Note : on peut prendre du jus de clamato (180 ml) à la place du jus de clam et du jus de tomate.

# AMORE

- 2 mesures de tequila *gold* (30 ml)
- 1 mesure de curaçao orange (15 ml)

Mélangez la tequila et le curaçao avec de la glace en morceaux dans un verre à whisky et remuez.

# ARRIBA!

- 3 mesures de tequila blanche (45 ml)
- 6 mesures de jus de pamplemousse (90 ml)
- Eau de Seltz

Mélangez les ingrédients (sans l'eau de Seltz) avec de la glace en morceaux dans un shaker. Versez dans un verre à whisky et remplissez avec l'eau de Seltz.

# BERTA'S SPECIAL

- 4 mesures de tequila *gold* (60 ml)
- 1 cuillerée à café de miel
- 1 blanc d'œuf
- 5 à 7 gouttes de jus d'orange amère
- Jus d'un citron vert
- Eau gazeuse
- 1 tranche de citron vert

Mélangez les ingrédients (sauf l'eau gazeuse et la tranche de citron vert) dans un shaker. Secouez bien et versez dans un verre à long drink froid rempli de glaçons. Remplissez avec l'eau gazeuse et décorez avec le citron.

# BLACK DOG

- 3 mesures de tequila *gold* (45 ml)
- Coca-Cola®

Versez la tequila dans un verre à whisky avec des glaçons et remplissez avec du Coca-Cola®.

**BLACK DOG**

152

# BLOODY TEQUILA MARIA

- 2 mesures de tequila blanche (30 ml)
- 4 mesures de jus de tomate (60 ml)
- Quelques gouttes de jus de citron
- Quelques gouttes de sauce Tabasco®
- Une pincée de sel au céleri
- 1 morceau de céleri ou de citron vert

Mélangez les boissons avec de la glace en morceaux dans un shaker et secouez bien. Versez dans un verre à long drink froid rempli de glaçons. Décorez avec le citron ou le céleri.

# BLUE SHARK

- 1 mesure de tequila blanche (15 ml)
- 1 mesure de vodka (15 ml)
- 1 mesure de curaçao bleu (15 ml)

Mélangez tous les ingrédients avec de la glace pilée dans un shaker et secouez bien. Versez dans un petit verre glacé.

BLUE SHARK

# BLUE MOON

- 3 mesures de tequila *gold* (45 ml)
- 6 mesures de jus d'orange (90 ml)
- 1 mesure de curaçao bleu (15 ml)

Mélangez la tequila et le jus d'orange avec de la glace pilée dans une coupe glacée, puis ajoutez le curaçao.

# BOMBA CHARGER

- 3 mesures de tequila blanche (45 ml)
- 5 mesures de jus d'ananas (75 ml)
- 1 mesure de limonade (15 ml)
- 1 mesure de grenadine (15 ml)

Mélangez tous les ingrédients avec de la glace en morceaux dans un shaker et secouez bien. Versez dans un verre à cocktail glacé.

BOMBA CHARGER

# BUNNY BONANZA

- 4 mesures de tequila *gold* (60 ml)
- 2 mesures d'eau-de-vie de pomme (30 ml)
- 1 mesure de jus de citron (15 ml)
- $3/4$ de cuillerée à café de sirop d'érable
- 3 gouttes de triple-sec
- 1 tranche de citron

Mélangez toutes les boissons avec de la glace en morceaux dans un shaker. Secouez bien, puis versez dans un verre à whisky et décorez avec la tranche de citron.

# CUCARACHA

- 1 mesure de tequila *gold* (15 ml)
- 1 mesure de Kahlúa (15 ml)
- 1 mesure de Coca-Cola® (15 ml)

Mélangez les ingrédients dans un petit verre et buvez cul sec.

# DOUBLE EAGLE

- 3 mesures de tequila blanche (45 ml)
- 3 mesures de Cointreau® (45 ml)

Versez les ingrédients dans un verre ballon rempli de glaçons.

# FIRE ALARM

- 2 mesures de tequila blanche (30 ml)
- Tabasco® (selon votre goût)

Versez la tequila dans un petit verre glacé et ajoutez du Tabasco®.

# FIRE AND ICE

- 1 mesure de tequila blanche (15 ml)
- 1 mesure de schnaps peppermint (15 ml)

Mélangez les ingrédients avec de la glace en morceaux dans un mixer. Versez dans un petit verre glacé.

# GREEN LIZARD

- 1 mesure de tequila blanche (15 ml)
- 2 mesures de crème de menthe (30 ml)

Versez les ingrédients dans un verre à whisky glacé et rempli de glaçons, puis remuez.

# GRENADE

- 6 mesures de jus de canneberge (90 ml)
- 2 mesures de tequila blanche (30 ml)
- Peaux d'orange pour la décoration

Mélangez les boissons avec des glaçons dans un mixer et remuez. Versez dans un verre à cocktail glacé et décorez avec les peaux d'orange.

# HONEYCOMB

- 4 mesures de tequila *gold* (60 ml)
- 3 mesures de whisky-citron (45 ml)
- 2 cuillerées à café de miel

Mélangez les ingrédients dans un shaker avec de la glace en morceaux et secouez bien. Versez dans un verre à long drink rempli de glaçons.

# ICED TEQUILA

- 3 mesures de tequila *gold* (45 ml)
- 1 mesure de thé glacé (15 ml)

Mélangez les ingrédients avec de la glace en morceaux dans un shaker et secouez bien. Versez dans un petit verre glacé.

# LA FRESCA

- 4 mesures de Sauza Hornitos (60 ml)
- Squirt®
- Gros sel
- Jus de deux citrons verts

Mettez une pincée de sel au fond d'un verre à whisky. Ajoutez des glaçons, le jus de deux citrons verts et la Sauza Hornitos. Puis remplissez le verre de Squirt® et remuez.

# MEXICAN COCKTAIL

- 2 mesures de tequila *gold* (30 ml)
- 4 mesures de champagne (60 ml)
- 1 mesure de jus de citron vert (15 ml)
- Sucre (selon votre goût)

Mélangez doucement tous les ingrédients dans un mixer et versez dans un verre à champagne glacé.

# MEXICAN SLOE SCREW

- 3 mesures de tequila blanche (45 ml)
- 6 mesures de jus d'orange (90 ml)
- 1 mesure de gin à la prunelle (15 ml)
- 1 quartier de citron vert

Versez la tequila et le jus d'orange dans un verre à whisky rempli de glaçons et remuez. Rajoutez le gin et décorez avec le citron vert.

# MESA CITY PRICKLY PEAR MARGARITA

- 4 mesures de tequila blanche (60 ml)
- 2 mesures de Cointreau® (30 ml)
- 2 mesures de jus de figue de Barbarie (30 ml)
- 1 mesure de jus de citron vert (15 ml)
- Gros sel
- 1 quartier de citron vert

Frottez le bord d'un verre à cocktail avec un morceau de citron vert et plongez-le dans une coupelle de gros sel. Secouez les ingrédients avec des glaçons dans un shaker. Versez dans le verre à cocktail glacé.

# MEXICAN PAIN KILLER

- 1 mesure de tequila *gold* (15 ml)
- 1 mesure de vodka (15 ml)
- 1 mesure de rhum blanc (15 ml)
- 2 mesures de jus d'ananas (30 ml)
- 1 mesure de jus d'orange (15 ml)
- 2 cuillerées à soupe de crème de noix de coco*

Mélangez les ingrédients avec de la glace en morceaux dans un mixer jusqu'à ce que liquide soit homogène, puis versez dans un verre à long drink. * Coco Lopez® de préférence

# NATIVE SUN

- 2 mesures de tequila *gold* (30 ml)
- 2 mesures d'amaretto (30 ml)
- 1 écorce d'orange coupée en serpentin

Mélangez les liquides avec de la glace en morceaux dans un shaker et secouez bien. Versez dans un verre à cocktail glacé et décorez avec l'écorce d'orange.

**MESA CITY PRICKLY PEAR MARGARITA**

# PIMBI

- 3 mesures de tequila blanche (45 ml)
- 6 mesures de jus d'ananas (90 ml)
- 2 mesures de jus de citron (60 ml)
- 1 cuillerée à café de sucre

Mélangez tous les ingrédients avec de la glace en morceaux dans un shaker et secouez bien. Versez dans un verre à whisky frais rempli de glaçons.

159

PINEAPPLE SUNRISE

# PINEAPPLE SUNRISE

- ■ 3 mesures de tequila blanche (45 ml)
- ■ 6 mesures de jus d'ananas (90 ml)
- ■ 1 mesure de jus de citron vert (15 ml)
- ■ 1 cuillerée à café de grenadine
- ■ 1 tranche d'ananas frais

Mélangez les boissons avec de la glace en morceaux dans un shaker et secouez. Versez dans un verre à cocktail glacé et décorez avec une tranche d'ananas.

# SILK STOCKING

- ■ 4 mesures de crème de cacao (60 ml)
- ■ 1 boîte de lait condensé non sucré (105 ml)
- ■ 4 mesures de grenadine (60 ml)
- ■ 4 mesures de tequila blanche (60 ml)
- ■ Cannelle

Mélangez doucement les boissons avec de la glace dans un mixer jusqu'à ce que la boisson soit homogène. Versez dans un verre à whisky et saupoudrez de cannelle.

# SUMMER BREEZE

- 4 mesures de tequila blanche (60 ml)
- 4 mesures d'eau de Seltz (60 ml)
- Feuilles de menthe (selon votre goût)
- 1 cuillerée à café de sucre
- 1 cuillerée à soupe d'eau chaude
- 1 citron vert

Mettez les feuilles de menthe, le sucre et l'eau chaude au fond d'un mixer, puis remplissez-le de glaçons. Versez la tequila, l'eau de Seltz et quelques gouttes de citron vert ; remuez énergiquement. Versez dans un verre à cocktail et décorez avec la menthe.

# SWEET AND SOUR

- 2 mesures de tequila blanche (30 ml)
- 1 cuillerée à soupe de jus de citron
- 1 mesure de grenadine (15 ml)

Mélangez la tequila et le jus de citron avec de la glace en morceaux dans un shaker et secouez bien. Versez dans un petit verre glacé et ajoutez doucement la grenadine.

SWEET AND SOUR

# TEQUILA COCKTAIL

- 6 mesures de tequila *gold* (90 ml)
- 2 mesures de jus de citron vert (30 ml)
- $\frac{1}{4}$ de cuillerée à café de grenadine
- 1 giclée de bitter à base d'angustura

Mélangez tous les ingrédients avec de la glace en morceaux dans un shaker. Secouez bien et versez dans un verre à cocktail glacé.

# TEQUILA COLLINS

- 4 mesures de tequila blanche (60 ml)
- 2 mesures de jus de citron (30 ml)
- 1 cuillerée à café de sirop de sucre
- Eau gazeuse
- 1 cerise au marasquin

Versez la tequila dans un verre à long drink glacé, rempli de glaçons. Ajoutez le jus de citron et le sirop. Remuez bien et ajoutez de l'eau gazeuse. Remuez doucement et décorez avec la cerise.

# TEQUILA FIZZ

- 6 mesures de tequila blanche (90 ml)
- 2 mesures de jus de citron vert (30 ml)
- 2 mesures de grenadine (30 ml)
- 1 blanc d'œuf
- Ginger ale

Mélangez les ingrédients (sauf le ginger ale) avec de la glace dans un shaker. Secouez et versez dans un verre à long drink froid, rempli de glaçons. Ajoutez le ginger ale et remuez doucement.

# TEQUILA GHOST

- 4 mesures de tequila blanche (60 ml)
- 2 mesures de Pernod® (30 ml)
- 1 mesure de jus de citron (15 ml)

Mélangez tous les ingrédients avec de la glace en morceaux dans un shaker et secouez bien. Versez dans un verre à cocktail glacé.

TEQUILA COLLINS

# TEQUILA GIMLET

- 6 mesures de tequila blanche (90 ml)
- 2 mesures de jus de citron vert Rose's® (30 ml)
- 1 tranche de citron vert

Versez la tequila et le jus de citron vert dans un verre à whisky rempli de glaçons. Remuez et décorez avec le citron.

# TEQUILA MANHATTAN

- 6 mesures de tequila *gold* (90 ml)
- 2 mesures de vermouth doux (30 ml)
- 1 cuillerée à café de jus de citron vert
- 1 cerise au marasquin
- 1 tranche d'orange

Mélangez toutes les boissons avec de la glace en morceaux dans un shaker et secouez. Versez dans un verre à whisky froid et rempli de glaçons. Décorez avec la cerise et la tranche d'orange.

# TEQUILA MARIA

- 4 mesures de tequila blanche (60 ml)
- 8 mesures de jus de tomate (120 ml)
- 1 mesure de jus de citron vert (15 ml)
- 1 cuillerée à café de raifort blanc
- Sauce Tabasco® (selon votre goût)
- 3 à 5 gouttes de sauce Worcestershire®
- Poivre noir (selon votre goût)
- Sel au céleri (selon votre goût)
- 1 pincée de coriandre
- 1 tranche de citron vert

Mélangez les ingrédients (sauf le citron) avec de la glace en morceaux dans un mixer. Versez dans un verre à whisky et décorez avec le citron.

# TEQUILA MOCKINGBIRD

- 4 mesures de tequila blanche (60 ml)
- 2 mesures de crème blanche à la menthe (30 ml)
- 2 mesures de jus de citron vert (30 ml)

Mélangez tous les ingrédients avec de la glace en morceaux dans un shaker et secouez bien. Versez dans un verre à cocktail glacé.

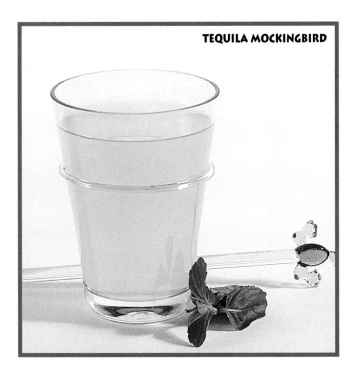

# TEQUILA OLD-FASHIONED

- 4 mesures de tequila *gold* (60 ml)
- 1 cuillerée à café de sucre
- 3 à 5 gouttes de bitter à base d'angustura
- Eau gazeuse
- 1 cerise au marasquin

Mélangez le sucre, l'eau et le bitter dans un verre à whisky. Remplissez de glaçons et ajoutez la tequila. Remuez bien et décorez avec la cerise.

# TEQUILA SHOT

- 4 mesures de la tequila de votre choix (60 ml)
- 1 quartier de citron
- Sel

Versez la tequila dans un petit verre. Mouillez votre main entre le pouce et l'index et mettez-y du sel. Léchez le sel, buvez la tequila d'un trait et sucez le citron.

TEQUILA SOUR

# TEQUILA SOUR

- 4 mesures de tequila blanche (60 ml)
- 3 mesures de jus de citron (45 ml)
- 1 cuillerée à café de sucre
- 1 tranche de citron
- 1 cerise au marasquin

Mélangez les ingrédients (sauf les fruits) avec de la glace en morceaux dans un shaker et remuez bien. Versez dans un petit verre à pied glacé et décorez avec les fruits.

# TEQUILA SPLASH

- 3 mesures de tequila *gold* (45 ml)
- Jus d'orange

Versez la tequila dans un verre à whisky rempli de glaçons. Ajoutez le jus d'orange et remuez.

166

# TEQUILA STINGER

- 4 mesures de tequila *gold* (60 ml)
- 2 mesures de crème blanche à la menthe (30 ml)

Mélangez les ingrédients avec de la glace en morceaux dans un shaker et secouez. Versez dans un verre à cocktail glacé.

# TEQUILA SUNRISE

- 4 mesures de tequila blanche (60 ml)
- Jus d'orange
- 2 mesures de grenadine (30 ml)

Versez la tequila dans un verre à whisky froid et rempli de glaçons. Ajoutez du jus d'orange, remuez, puis ajoutez doucement la grenadine.

TEQUILADA

# TEQUILADA

- 4 mesures de tequila *gold* (60 ml)
- 4 mesures de crème de noix de coco (60 ml)
- 8 mesures de jus d'ananas (120 ml)
- 1 tranche d'ananas frais

Mélangez les ingrédients (sauf la tranche d'ananas) avec de la glace en morceaux dans un shaker et remuez bien. Versez dans un verre à cocktail glacé et décorez avec la tranche d'ananas.

# TEQUINI

- 6 mesures de tequila blanche (90 ml)
- 1 mesure de vermouth sec (15 ml)
- Quelques gouttes de bitter à base d'angustura
- 1 écorce de citron coupée en serpentin

Remuez les boissons avec de la glace en morceaux dans un mixer. Versez dans un verre à cocktail glacé et décorez avec le citron.

# TEQUONIC

- 4 mesures de tequila silver (60 ml)
- 3 mesures de jus de citron vert frais (45 ml)
- Schweppes®
- 1 quartier de citron vert

Versez la tequila dans un verre à whisky froid rempli de glaçons. Ajoutez le Schweppes et décorez avec le quartier de citron vert.

# TUN-TUN

- 3 mesures de tequila blanche (45 ml)
- 2 cuillerées à café de jus de citron
- 1 cuillerée à soupe de sirop de framboise
- Quelques gouttes de Grand-Marnier®
- 1 tranche d'orange et 1 fraise

Mélangez tous les ingrédients (sauf le Grand-Marnier® et les fruits) dans un shaker et secouez bien. Versez dans un verre à cocktail rempli de glace pilée et remuez. Ajoutez le Grand-Marnier® et décorez avec les fruits.

# GASPACHO ET SA MARINADE D'OIGNONS À LA TEQUILA

POUR SIX PERSONNES

### LE GASPACHO :

4 tranches de pain français ou italien, sans la croûte,
  rompues en morceaux
360 g de tomates mûres coupées grossièrement
1 oignon rouge de taille moyenne, coupé grossièrement
2 gousses d'ail coupées grossièrement
1 gros concombre coupé grossièrement
2 poivrons rouges de taille moyenne coupés grossièrement
2 cuillerées à soupe d'huile d'olive
2 cuillerées à soupe de vinaigre de xérès
1 cuillerée à soupe de tequila
Sel et poivre fraîchement moulu

## MARINADE D'OIGNONS À LA TEQUILA :

2 gros oignons rouges, coupés en deux et émincés
1 tasse de vinaigre blanc
$\frac{1}{4}$ de tasse de tequila
1 cuillerée à café de sucre semoule
2 gousses d'ail, hachées menu
1 cuillerée à soupe de thym haché menu
Sel et poivre fraîchement moulu

**GARNITURE :** $\frac{1}{4}$ de tasse de coriandre hachée menu

## PRÉPARATION DES OIGNONS :

1. Mélangez le vinaigre, la tequila, le sucre et l'ail dans une casserole, à feu moyen. Amenez le tout à ébullition, puis laissez mijoter pendant quelques minutes.

2. Dans un bol de taille moyenne, mettez les oignons, versez le mélange, ajoutez le thym, salez et poivrez, selon votre goût. Laissez reposer à température ambiante pendant deux heures au moins. Égouttez les oignons.

## PRÉPARATION DU GASPACHO :

1. Imbibez d'eau les morceaux de pain, puis pressez-les et placez-les dans le bol d'un robot de cuisine. Ajoutez les autres ingrédients et mixez jusqu'à obtenir une purée homogène (si elle est trop épaisse, allongez avec de l'eau glacée).

2. Passez la purée dans un fin tamis, salez et poivrez.

3. Recouvrez et laissez au réfrigérateur pendant deux heures au moins. Répartissez en six bols et décorez avec les oignons macérés et la coriandre.

# SAUMON SALÉ À LA TEQUILA DE BOBBY FLAY

POUR SIX PERSONNES

1 filet de saumon avec la peau (1 kg environ)
1 cuillerée à soupe de purée de *chipotles* (piments rouges)
$\frac{1}{4}$ de tasse de coriandre hachée
$\frac{1}{4}$ de tasse de graines de moutarde
2 cuillerées à soupe de graines de cumin
Le zeste de 5 citrons verts coupés en bandes

2 tasses de sel casher
3 tasses (pleines) de sucre brun
1 tasse de tequila

1. Mettez le filet de saumon sur une plaque de four, peau en dessous. Étalez la purée de *chipotles* (piments rouges). Saupoudrez de coriandre, de graines de moutarde, de graines de cumin et des zestes de citron vert.

2. Dans un bol, mélangez le sel, le sucre brun et la tequila. Recouvrez-en le saumon.

3. Mettez une autre plaque de four sur le saumon et lestez-la avec une planche à découper ou un accessoire aussi lourd. Laissez au réfrigérateur pendant 48 heures.

4. Sortez le saumon du réfrigérateur et grattez les ingrédients de salaison. Le poisson doit toujours paraître cru et avoir une consistance ferme et non dure. Si la couleur a viré au rose pâle, la salaison a duré trop longtemps et le poisson est cuit.

# SALADE D'ENDIVES ET JÍCAMA AVEC SA VINAIGRETTE À LA TEQUILA

POUR SIX PERSONNES

## VINAIGRETTE :

$\frac{1}{4}$ de tasse de jus de mandarine frais
2 cuillerées à soupe de tequila
1 cuillerée à soupe de vinaigre blanc

1 petite échalote coupée en gros morceaux
$^3/_4$ de tasse d'huile d'olive
Sel et poivre blanc fraîchement moulu, selon votre goût

## SALADE :

2 endives
4 mandarines, pelées et défaites
1 jícama moyen, pelé et coupé en petits morceaux
$^1/_2$ tasse de coriandre hachée menu

## PRÉPARATION DE LA VINAIGRETTE :

Avec un robot de cuisine, mixez le jus, la tequila, le vinaigre et l'échalote, jusqu'à obtenir une sauce homogène. Sans arrêter le mixer, ajoutez doucement l'huile d'olive jusqu'à ce qu'elle se mélange uniformément. Salez et poivrez.

## PRÉPARATION DE LA SALADE :

Dressez les endives sur les bords de chaque assiette. Disposez par-dessus les quartiers de mandarine et le jícama avec $^1/_4$ de tasse de vinaigrette, puis salez et poivrez légèrement. Arrangez au milieu de chaque assiette, arrosez encore de vinaigrette et saupoudrez de coriandre.

# MOULES À L'ÉTOUFFÉE ASSAISONNÉES À LA TEQUILA ET AU CITRON VERT

POUR QUATRE PERSONNES

1 cuillerée à soupe d'huile d'olive
1 cuillerée à soupe de gingembre fraîchement râpé
1 cuillerée à soupe d'ail haché menu
$1/4$ de tasse d'oignon rouge haché menu
1 tasse de tequila
1 cuillerée à soupe de zeste de citron vert finement râpé
32 moules lavées, brossées et ébarbées
Sel et poivre fraîchement moulu, selon votre goût
2 cuillerées à soupe de coriandre hachée menu

Faites chauffer l'huile dans une marmite de bouillon à feu moyen. Ajoutez le gingembre, l'ail et l'oignon ; laissez cuire jusqu'à ce que l'oignon soit translucide. Montez le feu et ajoutez la tequila, le sel et le poivre avant de porter à ébullition. Ajoutez les moules, la coriandre et remuez. Couvrez la marmite et laissez cuire jusqu'à ce que les moules s'ouvrent, pendant environ 3 à 4 minutes. Mettez les moules dans un grand bol et servez de suite.

# SALADE DE LÉGUMES GRILLÉS MARINÉS À LA TEQUILA

POUR QUATRE PERSONNES

$1/4$ de tasse d'huile d'olive
2 cuillerées à soupe de tequila
1 cuillerée à soupe de thym frais haché menu
1 cuillerée à soupe de persil frais haché menu
1 cuillerée à soupe d'ail haché menu
2 gros poivrons rouges coupés en quatre et épépinés
2 gros poivrons verts coupés en quatre et épépinés
2 petites courgettes coupés en quatre
12 champignons de Paris
12 tomates cerises
Sel et poivre fraîchement moulu, selon votre goût

1. Mélangez l'huile, la tequila et les herbes dans un grand plat à cuire. Ajoutez les légumes et remuez pour que tout soit bien assaisonné. Laissez reposer à température ambiante pendant une heure au moins.

2. Préchauffez le grill ou la rôtissoire. Enlevez les légumes de la marinade, salez et poivrez. Grillez-les sur les deux côtés jusqu'à ce qu'ils soient entièrement cuits.

# HUÎTRES ET SAUCE MIGNONNETTE À LA TEQUILA
## POUR QUATRE PERSONNES

$^3/_4$ de tasse de tequila
3 échalotes hachées
1 pincée de sucre
Sel et poivre frais grossièrement moulu, selon votre goût
24 huîtres fraîches, bien nettoyées

1. Sauce mignonnette : dans un petit bol, battez la tequila, les échalotes, le sucre, le sel et le poivre. Réservez.

2. Ouvrez les huîtres, jetez la coquille supérieure et placez-les sur un plateau aux bords recouverts de glace pilée. Ajoutez la sauce mignonnette avec une cuillerée et servez de suite.

# SALADE DE HOMARD FRAIS ET SA VINAIGRETTE À LA TEQUILA ET À LA CORIANDRE
## POUR QUATRE PERSONNES

### VINAIGRETTE :

$^3/_4$ de tasse d'huile d'olive
3 cuillerées à soupe de jus de citron vert frais
1 cuillerée à soupe de tequila
$^1/_4$ de tasse de coriandre hachée
1 cuillerée à café de miel
Sel et poivre fraîchement moulu, selon votre goût

## SALADE :

4 tasses de mesclun

2 petites tomates coupées en quartiers

2 œufs durs coupés en quatre

1 poivron rouge coupé en petits morceaux

4 homards d'environ 500 g, cuits à la vapeur et sans leur carapace

1. Pour la vinaigrette, mettez les ingrédients dans un mixer et tournez jusqu'à ce que ce soit homogène. Salez et poivrez.

2. Pour la salade, dressez la mesclun dans quatre grandes assiettes. Décorez avec les tomates, les œufs, les morceaux de poivron et le homard. Arrosez légèrement le tout de vinaigrette.

# COCKTAIL DE CREVETTES ET SA SAUCE FRAÎCHE À LA TOMATE ET À LA TEQUILA

POUR QUATRE PERSONNES

## SAUCE COCKTAIL :

5 tomates olivettes, coupées en quartiers et épépinées

2 cuillerées à soupe de ketchup

2 cuillerées à soupe de raifort mariné au vinaigre

1 cuillerée à soupe de tequila

1 pincée de sucre

Quelques gouttes de sauce pimentée

Sel et poivre fraîchement moulu, selon votre goût

## CREVETTES :

2 litres d'eau

2 cuillerées à soupe de gros sel

1 citron coupé en deux

500 g de grosses crevettes, décortiquées et nettoyées (environ deux douzaines)

1. Pour la sauce cocktail, mixez les ingrédients dans le bol d'un robot de cuisine ; les tomates doivent rester encore fermes. Salez et poivrez, selon votre goût. Recouvrez et laissez au réfrigérateur pendant une heure au moins.

2. Pour les crevettes, mettez l'eau, le citron et le sel dans une grosse casserole et portez à ébullition. Ajoutez les crevettes,

éteignez le feu et remuez. Vérifiez la cuisson des crevettes après 2 à 3 minutes. Ôtez-les quand elles sont complètement cuites et égouttez-les. Recouvrez et laissez au réfrigérateur pendant au moins une heure. Servez avec la sauce.

# DRUNKEN BEANS

POUR QUATRE PERSONNES

$1/4$ de tasse d'huile d'olive

1 gros oignon rouge, coupé en deux et émincé

2 gousses d'ail hachées menu

2 tomates olivettes épépinées et hachées menu

2 piments serrano, épépinés et hachés menu

1/4 de tasse de coriandre hachée menu

100 g de haricots pinto cuits (ou 3 tasses de haricots en conserve, rincés)

Sel selon votre goût

$1/4$ de tasse de tequila

1. Chauffez l'huile à feu moyen dans une casserole. Faites revenir les oignons jusqu'à ce qu'ils brunissent légèrement, ajoutez les tomates, les piments, la coriandre et laissez cuire pendant une minute.

2. Ajoutez les haricots cuits, le sel et la tequila.

3. Laissez cuire sans recouvrir à feu doux, pendant 30 minutes environ, jusqu'à ce que le jus ait épaissi.

# CEVICHE À LA TEQUILA

POUR QUATRE PERSONNES

250 g de crevettes de taille moyenne, décortiquées et nettoyées, bouillies et découpées en dés de 1 cm de côté

250 g de pétoncles découpés en dés de 1 cm de côté

250 g de filet de saumon, en dés d'1 cm de côté

$1/2$ tasse de tomates coupés en dés

$1/2$ tasse de mangue coupée en dés

$1/4$ d'oignon rouge coupé en dés

1 poivron jalapeño haché

2 tasses de jus de citron vert frais

$1/2$ tasse de tequila

$^1/_2$ tasse de coriandre coupée en gros morceaux

1 cuillerée à soupe de sucre

Sel et poivre fraîchement moulu, selon votre goût

1 pamplemousse pelé et en quartiers

1 orange pelée et en quartiers

1. Dans un bol mélangeur non adhésif (en verre ou en céramique), mélangez les crevettes, les pétoncles, le saumon, les tomates, la mangue, le jalapeño, le jus de citron vert et la tequila. Recouvrez et laissez mariner au réfrigérateur pendant 2 $^1/_2$ à 3 heures, en remuant le mélange après 1 heure.

2. Juste avant de servir, égouttez le mieux possible la préparation, ajoutez la coriandre, le sucre, le sel et le poivre. Incorporez doucement les quartiers d'orange et de pamplemousse.

# SALSA VERDE À LA TEQUILA

POUR QUATRE PERSONNES

10 tomates vertes pelées, lavées et coupées en quartiers

2 gousses d'ail hachées menu

1 cuillerée à café de miel

2 cuillerées à soupe de poireau haché menu (partie blanche)

1 cuillerée à soupe d'oignon rouge haché menu

1 petit poivron jalapeño haché menu

3 cuillerées à soupe de coriandre fraîche coupée en morceaux

1 cuillerée à soupe de tequila

Sel et poivre fraîchement moulu, selon votre goût

1 pincée de sucre

1. Mixez les tomates vertes, l'ail et le miel dans le bol d'un robot sans pour autant que le mélange ne devienne homogène. Versez dans un bol de taille moyenne.

2. Ajoutez les poireaux, l'oignon, le jalapeño, la coriandre, la tequila et mélangez bien. Laissez la sauce reposer à température ambiante pendant 15 minutes. Salez, poivrez et sucrez davantage si la sauce est trop acide. Servez avec des chips de maïs.

# PLATS PRINCIPAUX

## POISSONS ET CRUSTACÉS

## THON GLACÉ À L'ANANAS ET À LA TEQUILA

POUR QUATRE PERSONNES

3 tasses de jus d'ananas
2 cuillerées à soupe de tequila
4 darnes de thon de 180 g chacune
Sel et poivre fraîchement moulu, selon votre goût

1. Dans une petite casserole non adhésive, faites cuire le jus d'ananas à feu moyen jusqu'à ce qu'il soit réduit à $1/2$ tasse. Enlevez du feu et ajoutez la tequila. Laissez refroidir.

2. Dans un plat à four, mettez le thon et versez le glaçage. Tournez les darnes afin qu'elles en soient recouvertes. Recouvrez et laissez au réfrigérateur pendant une heure.

3. Faites chauffer une poêle à frire jusqu'à ce qu'elle fume. Salez et poivrez les darnes et grillez-les sur un côté pendant 2 ou 3 minutes, jusqu'à ce qu'elles soient marron doré. Tournez-les et continuez à les cuire pendant 1 à 2 minutes ; elles doivent être juste saisies.

## ESPADON GRILLÉ AU BEURRE DE POIVRE GRIS ET À LA TEQUILA

POUR QUATRE PERSONNES

$1/4$ de tasse de tequila
2 cuillerées à soupe de jus d'orange frais
250 g de beurre doux ramolli
$1/4$ de cuillerée à café de sel
1 cuillerée à café de poivre gris frais, moulu
    grossièrement
4 darnes d'espadon de 180 g chacune
2 cuillerées à soupe d'huile d'olive
Sel et poivre gris fraîchement moulu, selon votre goût

1. Pour le beurre, mettez la tequila et le jus d'orange dans une petite casserole non adhésive et faites réduire jusqu'à ce qu'il n'en reste plus que l'équivalent de 2 cuillerées à soupe. Laissez refroidir.

2. Dans un bol de taille moyenne, mettez le beurre ramolli. Ajoutez le mélange tequila-jus d'orange, le sel, le poivre et mélangez jusqu'à ce que ce soit homogène. Recouvrez et laissez refroidir au réfrigérateur jusqu'à sa solidification, pendant environ 2 heures.

3. Enduisez les darnes d'huile d'olive ; salez et poivrez les deux côtés. Faites chauffer une poêle à frire à plein feu jusqu'à ce qu'elle fume. Faites griller les darnes sur un côté pendant 3 à 4 minutes, jusqu'à se qu'elles deviennent marron doré. Tournez-les et faites-les cuire pendant 3 ou 4 minutes encore ; la cuisson doit être à point. Servez de suite, avec un bon morceau de beurre au poivre gris et à la tequila.

# ROUGET POCHÉ AU BOUILLON DE TEQUILA ÉPICÉ

POUR QUATRE PERSONNES

## POUR POCHER :

4 tasses de bouillon de poisson

$\frac{1}{2}$ tasse de tequila

2 piments serrano coupés en deux

1 petit oignon rouge coupé en gros morceaux

6 brins de persil

6 grains de poivre noir

1 feuille de laurier

4 filets de rouget de 180 g chacun

Sel et poivre fraîchement moulu, selon votre goût

1. Dans un poêlon de taille moyenne, mettez les ingrédients qui vont servir à pocher le poisson. Portez à ébullition pendant 2 minutes et réduisez l'intensité du feu pour faire mijoter.

2. Poivrez et salez des filets de rouget sur les deux côtés. Laissez-les cuire dans le bouillon jusqu'à ce qu'ils soient à point, pendant environ 6 à 8 minutes.

# CREVETTES GRILLÉES À LA TEQUILA ET GARNITURE DE TOMATES

POUR QUATRE PERSONNES

1 tasse de tequila

3 gousses d'ail coupées en gros morceaux

$1/4$ de tasse d'huile d'olive

2 cuillerées à soupe de jus de citron vert frais

1 cuillerée à café de sucre

Sel et poivre fraîchement moulu, selon votre goût

24 grosses crevettes décortiquées

## GARNITURE DE TOMATES :

6 tomates olivettes coupées grossièrement et épépinées

2 gousses d'ail hachées menu

2 cuillerées à soupe d'huile d'olive

2 cuillerées à soupe de pistou

Sel et poivre fraîchement moulu, selon votre goût

1. Pour la garniture de tomates, mélangez tous les ingrédients dans un bol de taille moyenne et laissez reposer à température ambiante pendant 30 minutes.

2. Pour les crevettes, mélangez la tequila, l'ail, l'huile d'olive, le jus de citron frais et le sucre dans un plat moyen allant au four. Ajoutez les crevettes et remuez pour qu'elles soient bien recouvertes. Laissez reposer à température ambiante pendant 20 minutes. Faites chauffer le grill. Sortez les crevettes de la marinade, poivrez et salez. Faites griller chaque côté pendant 2 ou 3 minutes jusqu'à ce qu'elles soient entièrement cuites.

# SAUMON CUIT À LA SAUCE VERTE ET À LA TEQUILA

POUR SIX PERSONNES

## LA SAUCE VERTE :

4 cuillerées à soupe d'huile d'olive

7 tomates vertes

3 cuillerées à soupe de persil haché menu

3 cuillerées à soupe de basilic haché menu
2 cuillerées à soupe d'estragon haché menu
$^1/_2$ tasse d'eau
4 gousses d'ail hachées menu
$^1/_2$ tasse de tequila
6 tasses de jus de clam
Le jus d'un citron
Sel et poivre fraîchement moulu, selon votre goût

## SAUMON :

6 filets de saumon (150 à 180 g chacun)
2 cuillerées à soupe d'huile d'olive
Sel et poivre fraîchement moulu, selon votre goût

1. Pour la sauce verte, faites chauffer 2 cuillerées à soupe d'huile d'olive dans une grande poêle à frire à grand feu, jusqu'à ce qu'elle fume presque. Ajoutez les tomates, faites-les revenir pendant 2 à 3 minutes, sortez-les de la poêle et coupez-les en gros morceaux.

2. Dans un robot de cuisine, mixez les tomates, le persil, le basilic, l'estragon et l'eau, jusqu'à obtenir un mélange homogène.

3. Dans une casserole de taille moyenne, mettez les deux cuillerées à soupe d'huile d'olive. Faites sauter l'ail à feu moyen jusqu'à ce qu'il ramollisse. Montez le feu au maximum, ajoutez la tequila et faites cuire jusqu'à ce que la plupart du liquide se soit évaporé. Ajoutez le jus de clam et laissez réduire jusqu'à ce qu'il n'y ait plus que l'équivalent de $^1/_2$ tasse, pendant environ 15 minutes. Ajoutez le jus de citron et la purée de tomates ; salez et poivrez selon votre goût. Réservez.

181

4. Pour le saumon, préchauffez le four à 160 °C. Dans une grosse cocotte, faites chauffer l'huile d'olive à plein feu (ou à feu moyen). Salez et poivrez les deux côtés des filets, mettez-les dans l'huile avec la peau en dessous et laissez cuire pendant 2 à 3 minutes, jusqu'à ce qu'ils soient légèrement dorés. Retournez-les, ôtez l'excès d'huile et nappez de sauce verte. Recouvrez et faites cuire pendant 10 à 12 minutes, jusqu'à ce que les filets soient bien cuits.

# PÉTONCLES GRILLÉS

POUR SIX PERSONNES

## SAUCE :

2 cuillerées à soupe de beurre doux

1 gros oignon haché menu

3 gousses d'ail hachées menu

$\frac{1}{4}$ de tasse de tequila

1 tasse de jus de clam

3 tasses de lait de coco (sans sucre)

1 gros poivron poblano grillé

$\frac{1}{4}$ de tasse de coriandre

$\frac{1}{2}$ tasse de feuilles d'épinard lavées

Sel et poivre fraîchement moulu, selon votre goût

## PÉTONCLES :

24 pétoncles frais, lavés et séchés
2 cuillerées à soupe d'huile d'olive
Sel et poivre fraîchement moulu, selon votre goût
Noix de coco grillée, pour décorer
Coriandre hachée, pour décorer

1. Pour la sauce, faites fondre le beurre à feu moyen dans une casserole moyenne. Ajoutez l'oignon, l'ail et laissez cuire jusqu'à ce qu'ils fondent.

2. Ajoutez la tequila, mettez le feu au maximum et laissez-la cuire jusqu'à ce qu'elle soit presque complètement évaporée. Ajoutez le jus de clam et laissez réduire de moitié. Ajoutez le lait de coco et laissez réduire de moitié.

3. Ajoutez le poivre, la coriandre, les épinards et laissez cuire pendant 2 minutes.

4. Préchauffez le grill, ou bien faites chauffer une poêle à frire à plein feu, jusqu'à ce qu'elle fume presque. Enduisez les pétoncles d'huile d'olive, salez et poivrez.

5. Faites griller les pétoncles pendant 2 minutes sur un côté, puis tournez-les et faites-les griller encore pendant 2 ou 3 autres minutes.

6. Répartissez les pétoncles dans chacune des assiettes et arrosez-les de sauce. Décorez avec la noix de coco grillée et les morceaux de coriandre.

# VOLAILLES

# POULET À LA TEQUILA ET SAUCE AU FROMAGE BLEU

POUR QUATRE PERSONNES

## SAUCE AU FROMAGE BLEU :

$1/2$ tasse de crème aigre
$1/2$ tasse de mayonnaise
1 cuillerée à café de tequila
1 cuillerée à soupe de coriandre hachée menu
2 cuillerées à soupe d'oignon vert haché menu
2 gousses d'ail hachées menu

1 cuillerée à soupe de sauce Tabasco®

3 cuillerées à soupe de fromage bleu écrasé

Sel et poivre fraîchement moulu, selon votre goût

## AILES DE POULET :

24 ailes de poulet

2 tasses d'huile d'arachide

1 tablette de beurre doux

1 cuillerée à soupe de sauce Tabasco®

1 cuillerée à soupe de tequila

## LES BÂTONNETS DE JÍCAMA :

1. Pour la sauce, mélangez tous les ingrédients dans un bol de taille moyenne. Recouvrez et laissez au réfrigérateur pendant 1 heure au moins.

2. Rincez les ailes et tamponnez avec du papier essuie-tout. Dans une casserole de taille moyenne, faites chauffer l'huile à 160 °C. Salez et poivrez les ailes ; faites-les cuire en plusieurs fois pendant 5 minutes environ, jusqu'à ce qu'elles soient dorées sur tous les côtés. Sortez-les et égouttez-les sur du papier absorbant.

3. Dans une poêle de taille moyenne, faites fondre le beurre. Ajoutez le Tabasco®, la tequila et mélangez. Mettez-y les ailes et remuez de manière à les recouvrir complètement. Servez avec la sauce et les bâtonnets de jícama.

# CANARD GRILLÉ GLACÉ À L'ABRICOT ET À LA TEQUILA

POUR QUATRE PERSONNES

## GLAÇAGE À L'ABRICOT ET À LA TEQUILA :

1 tasse d'abricots au sirop

1 cuillerée à café de gingembre frais râpé

1 cuillerée à café de moutarde de Dijon

1 cuillerée à café de tequila

## CANARD :

2 filets de canard, avec les os et la peau, mais dégraissés

1 cuillerée à soupe d'huile d'olive

Sel et poivre fraîchement moulu, selon votre goût

1. Pour le glaçage, mélangez tous les ingrédients dans une casserole et chauffez-les pour faire fondre les abricots. Laissez refroidir.

2. Pour le canard, faites chauffer le grill à feu moyen. Étalez le glaçage sur la peau, salez et poivrez. Mettez les blancs sur le grill, peau en dessous et laissez cuire pendant 4 à 5 minutes, jusqu'à ce qu'ils soient marron doré. Retournez-les, glacez, salez, poivrez et faites cuire pendant 4 à 5 minutes ; la viande doit être à point. Sortez du grill et laissez reposer pendant 5 minutes avant de découper en tranches.

# DINDE RÔTIE ET GARNITURE AUX CANNEBERGES ET À LA TEQUILA

POUR SIX PERSONNES

## DINDE :

1 dinde de 2 kg à 2,5 kg
1 cuillerée à soupe d'huile d'olive
Sel et poivre fraîchement moulu, selon votre goût

## GARNITURE AUX CANNEBERGES ET À LA TEQUILA :

2 cuillerées à soupe de beurre doux
4 gousses d'ail hachées menu
1 petit oignon d'Espagne haché menu
2 cuillerées à soupe de tequila
1 poivron jalapeño épépiné et haché menu
500 g de canneberges fraîches nettoyées

2 tasses de jus d'orange

$^1/_2$ tasse de sucre brun

Sel et poivre fraîchement moulu, selon votre goût

1. Préchauffez le four à 160 °C. Enduisez la dinde d'huile d'olive, salez et poivrez. Faites-la cuire dans un plat à rôtir pendant 1 heure à 1 heure $^1/_2$ environ, jusqu'à ce que le jus soit clair. Laissez reposer pendant 15 minutes avant de couper en tranches.

2. Pendant ce temps, préparez la garniture aux canneberges et à la tequila. Faites fondre le beurre dans une grande casserole à feu assez fort. Ajoutez l'ail, l'oignon et faites fondre. Ajoutez la tequila et faites cuire pendant 2 minutes. Ajoutez le jalapeño, les canneberges, le jus d'orange, le sucre brun, salez et poivrez. Baissez le feu et laissez cuire pendant 10 à 15 minutes, jusqu'à ce que les baies éclatent. Versez dans un bol, laissez refroidir à température ambiante et servez avec la dinde.

# VIANDES

# STEAK DE FLANCHET MARINÉ À LA TEQUILA ET AU CITRON VERT

POUR SIX PERSONNES

## MARINADE :

3 cuillerées à soupe d'huile d'olive

3 cuillerées à soupe de tequila

2 cuillerées à soupe de jus de citron vert frais

2 gouttes de sauce Tabasco®

4 gousses d'ail coupées grossièrement

1 petit oignon coupé grossièrement

## STEAK DE FLANCHET :

1 steak de flanchet de 750 g

Sel et poivre fraîchement moulu, selon votre goût

12 tortillas de blé

Pico de Gallo

Guacamole

Feuilles de coriandre pour décorer

1. Pour la marinade, mélangez tous les ingrédients dans un large bol. Ajoutez le steak et remuez pour le recouvrir entièrement. Recouvrez et laissez au réfrigérateur pendant 2 heures, en retournant la viande après 1 heure.

2. Pour le steak de flanchet, 30 minutes avant la cuisson, chauffez le grill. Enlevez le steak de la marinade et tamponnez-le avec du papier essuie-tout. Salez et poivrez-le entièrement. Grillez chaque côté pendant 3 à 4 minutes pour obtenir une cuisson bleue ou à point. Laissez reposer 10 minutes avant de couper en tranches.

3. Coupez le steak en travers de la fibre et en bandes diagonales de $^1/_2$ centimètre d'épaisseur. Servez enroulé dans une tortilla, avec la sauce, le guacamole et la coriandre.

# DESSERTS

# TARTE À LA TEQUILA ET AU CITRON VERT

POUR HUIT PERSONNES

## PÂTE À TARTE :

1 $^1/_2$ tasse de farine
$^1/_4$ de cuillerée à café de sel
$^1/_4$ de tasse de sucre en grains
$^1/_2$ tablette de beurre doux, frais et coupé en morceaux

de la taille d'une cuillerée à soupe
1 jaune d'œuf
1 $\frac{1}{2}$ cuillerée à soupe d'eau froide

## CRÈME TEQUILA-CITRON VERT :

5 gros jaunes d'œuf
600 ml de lait concentré sucré
$\frac{1}{2}$ tasse de jus de citron vert frais ou en bouteille Key®
2 cuillerées à soupe de tequila
1 cuillerée à café de zeste de citron vert haché menu

## CRÈME FOUETTÉE FRAÎCHE ET SUCRÉE POUR DÉCORER

1. Préchauffez le four à 160 °C. Mixez la farine et le beurre dans un robot ménager jusqu'à ce que le mélange s'amalgame en gros grains. Sans arrêter le mixer, ajoutez doucement le jaune d'œuf et 1 cuillerée à soupe d'eau. Mélangez pour obtenir une boule, en ajoutant de l'eau si nécessaire.

2. Étalez la pâte de manière uniforme dans un moule à tarte de 20 centimètres de diamètre environ, au fond escamotable. Piquez la pâte avec une fourchette et faites cuire pendant 20 à 25 minutes, jusqu'à ce qu'elle commence à dorer.

3. Pour la garniture, fouettez les jaunes d'œuf et le lait concentré dans un grand bol pour un mélange homogène.

4. Versez la garniture sur la pâte précuite et mettez au four pendant 9 à 10 minutes, jusqu'à ce que la tarte soit ferme.

5. Laissez complètement refroidir au réfrigérateur avant de démouler la tarte. Coupez en quartiers et servez avec une bonne cuillerée de crème fouettée.

# CHEESECAKE GLACÉ À LA TEQUILA ET AU CITRON VERT

## 20 CM DE DIAMÈTRE ENVIRON

## PÂTE :

$\frac{1}{2}$ tasse de graines de potiron décortiquées et légèrement grillées
1 tasse de biscuits de farine complète réduits en miettes
2 cuillerées à soupe de sucre semoule

6 cuillerées à soupe de beurre doux ramolli

## GÂTEAU :

750 g de fromage blanc, à température ambiante
6 cuillerées à soupe de beurre doux ramolli
1 tasse de sucre semoule
2 cuillerées à soupe de maïzena
4 gros œufs, à température ambiante
1 tasse de crème aigre
$^1/_4$ de tasse de tequila
2 cuillerées à café d'extrait de vanille

## GLAÇAGE :

1 tasse de marmelade au citron vert
2 cuillerées à soupe de jus de citron vert Rose's®
1 cuillerée à soupe de tequila
1 cuillerée à soupe d'eau

1. Préchauffez le four à 130 °C. Beurrez un moule à tarte de 20 cm de diamètre environ ou un moule à fond escamotable.

2. Mélangez bien les graines de potiron, les miettes de biscuits, le sucre et le beurre dans un grand bol. Étalez uniformément dans le moule déjà préparé.

3. Versez le fromage blanc, le beurre, le sucre et la maïzena dans un mixeur et mélangez à vitesse moyenne. Ajoutez les œufs un à un jusqu'à ce qu'ils soient incorporés. Réduisez la vitesse et ajoutez la crème aigre, la tequila et la vanille.

4. Versez la pâte dans le moule à tarte. Posez-le dans un plat plus grand, tel un plat à rôtir, rempli de 3 centimètres d'eau

chaude (si vous utilisez un moule à fond escamotable, enveloppez-en le dessous avec du papier aluminium).

5. Faites cuire pendant I heure $^1/_4$ à I heure $^1/_2$ jusqu'à ce que le gâteau brunisse et gonfle légèrement ; il doit être à peine ferme.

6. Laissez refroidir à température ambiante dans le bain-marie, puis sortez le plat et laissez au réfrigérateur pendant la nuit, pour démouler le gâteau ensuite.

7. Pour le glaçage, versez tous les ingrédients dans une petite casserole et faites cuire à feu moyen en remuant, jusqu'à ce que le mélange soit homogène. Laissez refroidir pendant 5 minutes et versez sur le cheesecake.

# DRUNKEN STRAWBERRY SALSA

POUR 1 $^1/_2$ TASSE

1 tasse de fraises mûres sans leur pédoncule et coupées en quartiers
1/4 de cuillerée à café de piment épépiné et haché, serrano ou jalapeño
1 cuillerée à soupe de menthe fraîche hachée
1 cuillerée à soupe de jus de citron vert
1 cuillerée à soupe de tequila *gold*
2 cuillerées à soupe de sucre

1. Mélangez la moitié des fraises et les autres ingrédients

dans un bol de taille moyenne. Laissez au réfrigérateur pendant 30 minutes à 3 heures, en remuant de temps en temps. Juste avant de servir, ajoutez les autres fraises.

Suggestions : servez sur une glace ou sur un quatre-quarts.

# SORBET DE MARGARITA À LA FRAISE
POUR SIX PERSONNES

4 tasses de fraises mûres équeutées et coupées en
  deux
$^3/_4$ de tasse de sirop de sucre (sucre et eau à parts égales)
Le jus d'un citron vert

½ tasse de tequila
¼ de tasse de triple-sec ou de liqueur d'orange
6 fraises entières pour décorer
Brins de menthe pour décorer

1. Mettez les ingrédients (sauf ceux destinés à décorer) dans un robot ménager et mixez jusqu'à ce que ce soit homogène. Goûtez pour voir si la préparation est assez sucrée et rajoutez du sirop si nécessaire.

2. Passez au tamis fin et laissez au réfrigérateur.

3. Mettez dans une sorbetière et procédez selon les instructions propres à la machine, puis laissez congeler.